THREE WORLDS

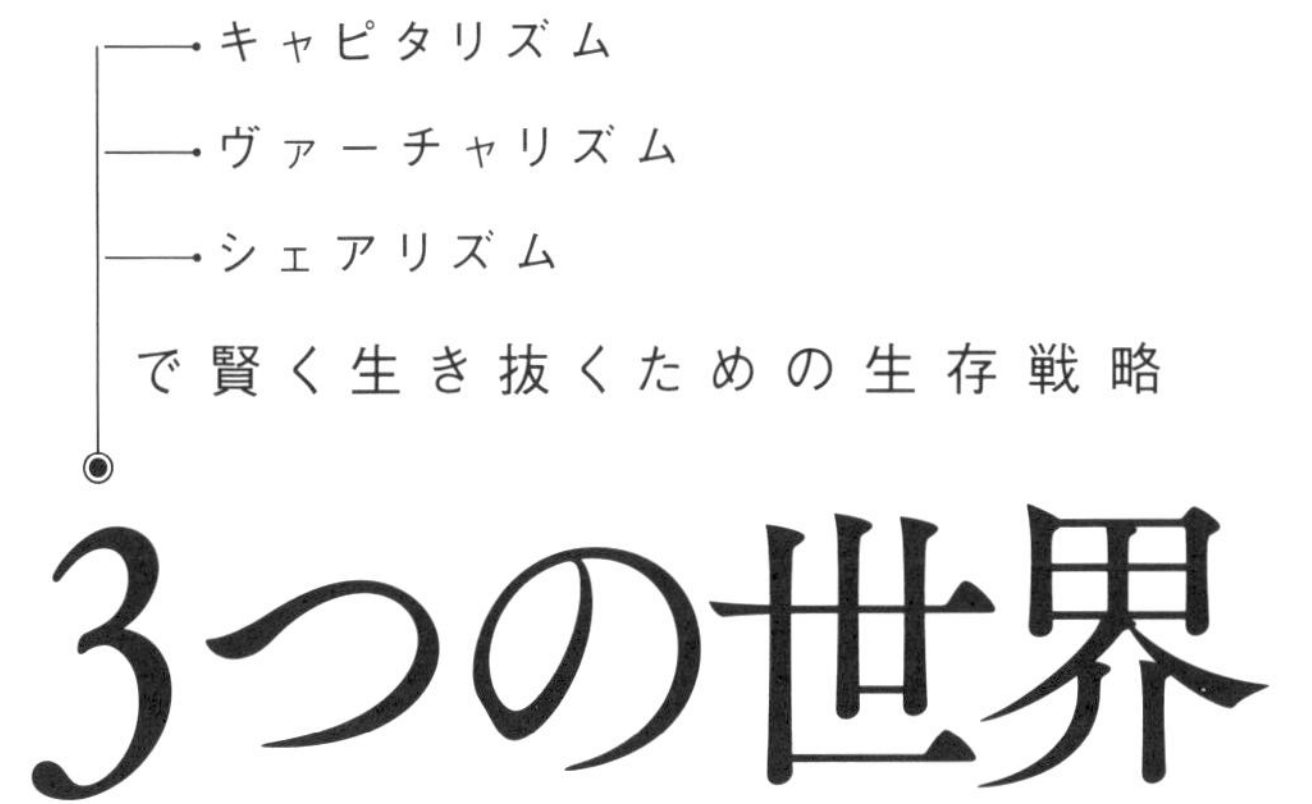

山口揚平
Yohei Yamaguchi

プレジデント社

THREE WORLDS

はじめに

「3つの世界」の出現

皆さんは不思議に思うことはないだろうか？

- なぜＩＴ長者は一夜にして数百億～数千億円もの巨万の富を手に入れられるのか？
  そしてそのお金は「実際」の生活で使えるものなのか？
- 社会に役立っていると思われる職業、たとえば保育士や介護士の給与はなぜ驚くほど低いのか？
- 日々、メディアで見るメタバースやＷｅｂ３・０、ＮＦＴなどの新しい言葉への不安感と不信感はどこから来るのか？
- 政府が推し進める田園都市構想や地域活性化にうさん臭さを感じるのはなぜか？
- なぜイーロン・マスクは、Ｔｗｉｔｔｅｒ社を６・４兆円で買収したのか？
- スマートフォンが普及する中、なぜいまだに国会を現場で行っているのか？

そもそも国会議員には、なぜあれほど信用できなさそうな人が多いのか？

これらのトピックについてニュースで目にすることはあっても、立ち止まって考えてみるとどうだろう。右記の疑問一つひとつに対し、明確に答えられる人は少ないのではないだろうか。なぜなら背景にある情報や事象が入り組んでおり、全体像をつかむことが難しく、本質が見えづらいからだ。

一つひとつの問題を単体で眺めていても答えはわからない。世界は単一なあり方から急速に、複雑に分化している。その最も大きな変化が、本書で扱う3つの世界への分化である。

具体的には、お金によって突き動かされる**「キャピタリズム」（資本主義社会）**、世界中を覆うネットワーク上をデータが駆け巡って構築された**「ヴァーチャリズム」（仮想現実社会）**、土地に根ざして自然のリズムで人々が協力して生活する**「シェアリズム」（共和主義社会）**である。本書ではこの3つの世界を章に分けて詳しく説明してゆく。

3つの世界はまったく異なるコンセプト（目的）や制度、経済システムを持っている（12ページで後述する）。

「3つの世界」とは一体何か？

次ページの図0－1は、3つの世界を表したものである。それぞれの世界の位置づけについて、地表から近い順に説明してゆこう。

シェアリズム：地表から地上20メートルまでの世界

シェアリズムは、地下数百メートルから地上20メートルくらいまでの世界である。ビル5階ぐらいまでだろうか。人工物が2～4割、自然が6～8割ほどの割合である。この高さでは、人は地面に張り付いて生活し、地域が生活の中心になる。身近な人間関係や動植物・自然などに囲まれ、ゆっくりとしたリズムで暮らしている。地方の暮らしが典型的な例である。

シェアリズムの良いところはもちろん、身体にとって良いこと、人間関係が都会に比べて濃厚であるところ、そしてお金を使わない暮らしである。その分、アドレナリンやドーパミンを刺激するようなことは起こらない。あくまで自然と身体のリズムに沿った生活が中心になる。

シェアリズムの暮らしを良くするためには、地域の人々と少しずつ関係性を深めたり、ささやかな貢献活動をしたり、地産地消によって安全で美味しい食生活を送ることである。その先のもっとシェアリズムを充実させる方法については後々述べてゆく。

図 0-1
3つの世界　世界は3つの層に分かれつつある

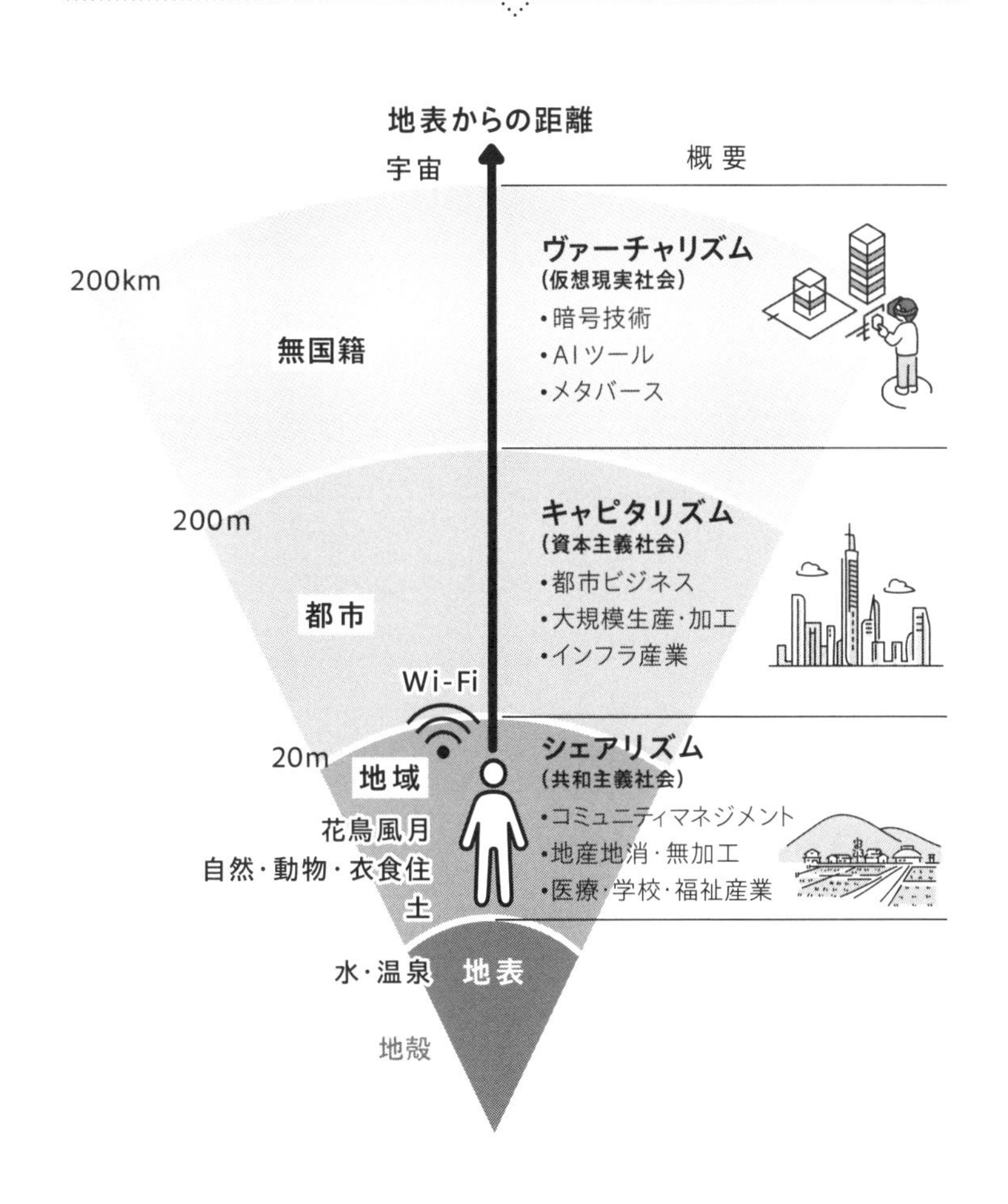

キャピタリズム：地上20メートルから200メートルの世界

地上20メートルから200メートルは、人工物が8割の世界、つまりキャピタリズムの領域だ。イメージとしては、東京を中心とした都市の暮らしである。大規模なビル群に囲まれ、人々はマンションで暮らし、何らかのビジネスに従事してお金を稼ぐ。その間に友人との食事や恋愛、家族生活や余暇などの人間的な活動を挟み込むことで日々を過ごす。

地上20メートル以上の場所では土や風を感じることが少ない。その高さでは鳥の代わりにＷｉ－Ｆｉが飛んでいる。

キャピタリズムで暮らす人の多くは、コンピュータを用いたオフィスワークに従事している。コロナ禍以降はオフィスへ出社することも減ったため、自分の仕事は本当に必要なのかと疑問に思ったり、あるいは所属欲求に飢えたりしているかもしれない。たとえ収入を得たとしても、本当に「生きている」のか、不安や不満を抱えている人も多い。

キャピタリズムでは「何をするか？」「どう価値を出すか？」よりも、階級によって所得が決まる。資産家は自然に富を増やし、労働階級はまだ昭和・平成の呪縛から解かれることなく、鬱々とした日々を過ごしている。この世界で幸せになるには良い友に恵まれ、より高次の階級にシフトするしかない。あるいは早々に脱出するかである。こちらも詳しくは後々述べる。

ヴァーチャリズム：地上200メートルより上の世界

地上200メートル以上は、地平線の先に地球の丸さを感じられる上空であり、そこには人工物も自然物もない。国境も国籍も関係のない世界である。

飛行機の窓から地上を眺めると、いかに人類が地球に愚かな線引きをしていざこざをくり返してきたかがわかってバカバカしくなる。とくにユーラシア大陸やアフリカを上空から眺めたところから見えるのは森や砂漠であり、そこに人間が「国」という人工的な「くくり」を持ち込んでいるのが滑稽だ。森などの自然は、「俺たちは○○国だが、お前は違う」などとマウント合戦をするはずがない。人間の妄想と線引きを自然に押しつけるのは愚かなことである。

さて、この国境のない領域をネットワークがくまなく網の目のように張り巡らされ、世界中のデータが駆け巡っている。インターネットという形で始まったネットワークの世界は、ここにきてより重層的になっている。ウェブブラウザという形で2次元表示してきたものから、VR（メタバース）の形となり、奥行きを持った3次元表示に移行しつつある。ヴァーチャリズムの世界を維持するための「労働」の対価として、通貨が発行されるまでになっているのだ。

たとえば、ビットコインは中央銀行や政府などの中央機関による管理や発行を必要としない暗号通貨とされ、データの改ざんができない「労働」の対価として配られる。それが貨幣価値を持って流通し得る仕組みの一つとなる。また、民主主義的な制度もＤＡＯ（分散型自律組織）の形で整えられつつある。ＤＡＯでは、中央集権的な組織で見られる指導者や管理者が存在せず、参加者全員が平等に意思決定に参加する。具体的にＤＡＯが用いられる場面としては、通貨や資産の管理、コミュニティの運営、プロジェクトの開発などがある。

要するにこれらの新技術は、私たちが暮らす現実社会と同じく様々な制度（立法・行政・司法・経済）を独自に構築しつつあるのだ。**今やネットは現実世界の補助輪の一つではなく、それ自体がヴァーチャリズムという形で世界を創り、独立しようとしている。**

私たちはこれらの３つの世界のいずれかに何らかの形で片足を突っ込むなり、全身をどっぷり浸からせるなりして生きている。会社勤めをしている人であれば、日中はキャピタリズムの世界に身を置いているものの、夜はゲームなどのヴァーチャリズム空間に身を置き、週末は地域のボランティアに参加することによりシェアリズムを体験していることになる。

しかし、３つの世界は独自性をあらわにしつつあり、その世界間でイデオロギー闘争が起こる危険性を孕んでいる。その前に、私たちは身の振り方を考えておく必要があるだろう。

3つの世界で見つかる「自分の居場所」

先ほど挙げた3つの世界の構造を理解するためには、それぞれの世界のどこかに居場所を見つけることが重要となる。だが実は、誰もがすでに3つの世界のどこかに所属している。

3つの世界を簡易的にマッピングしたのが、次ページの図0-2だ。

仮にあなたが今身を置いているキャピタリズムの世界に疲れ切っていたとしても、シェアリズムの世界で人とのつながりや温もりに触れて、過ごしやすい居場所が見つかるかもしれない。現実に絶望しているのであれば、ヴァーチャリズムに逃げ込んでも構わない。

反対に、もしあなたがキャピタリズムで栄華を極める資本家だとしても、そこで蓄えた資本をそのままヴァーチャリズムやシェアリズムといった新しい世界へ転用することはできない。シェアリズムの世界で地域に根ざして尊敬されるためには、日常的な貢献（たとえば町内会でボランティア活動をするなど）が必要である。先ほど書いた通り、3つの世界はそれぞれ異なる構造と論理で動いているからだ。

複雑で攻略の難しい3つの世界で楽しく生き抜くには、**私たちの暮らしを構成する3つの要素である「稼ぐ・貢献する・生活する」のポジションを定めることが必要不可欠となる。**

こう書くと難しく感じるかもしれないが、安心してほしい。

図 0-2

3つの世界　生き方のパターンと人物例

あなたはそれぞれの世界のどこを生きているか？

	シェアリズム	キャピタリズム	ヴァーチャリズム	人物例
1		●		•柳井正 •三木谷浩史
2	●			•マイルドヤンキー •地方公務員、議員、農協漁協組合員
3			●	•ひろゆき •堀江貴文 •インフルエンサー
4	●	●		•世襲の政治家、地方発祥の有名老舗企業の社長 •都心と田舎の2拠点生活者
5		●	●	•孫正義 •イーロン・マスク
6	●		●	•学者、著述家 •OSHO（スピリチュアルグル）
7	●	●	●	•ウォーレン・バフェット •株を売却して地方に住む元IT社長

誰もがスーパー起業家になる必要もなければ、工場労働者になる必要もない。あなたが心地よく、安心して生きてゆける場所は3つの世界が複雑に交差する場所のどこかに必ず見つかる。

本書では、それぞれの世界の成り立ちやルール、そしてこの先の未来を解説したうえで、個々人の生き方のヒントを授けたい。

3つの世界のメカニズムを理解することで、冒頭で列挙した疑問が自然と解消され、あなたがこれまで感じていたモヤモヤが晴れるはずだ。きっと自身の生き方を見つめ直すきっかけにもなるだろう。

3つの世界で必要な「お金」と「稼ぎ方」

3つの世界で異なる「お金」の種類

私たちは、経済やお金の面でどのようにしてこの世界を渡り歩いてゆけばよいのだろうか？

まずは今後「お金」といっても、その内実には3種類存在することを理解しておく必要がある（次ページの図0－3）。

キャピタリズムにおけるお金は通貨であり、労働あるいは資本投下によって得られるものだ。対して、**ヴァーチャリズムにおけるお金は信用、評判、影響力によってもたらされる。**部分的に似ている部分もあるが、**シェアリズムでは、心地よい距離感を担保できている評判、コミュニケーションの対価としての返礼がある。時間と貢献を積み重ねることが重要となる。**それぞれの世界における「お金」は相互に関係しつつも、個々の性質が大きく異なることを知っておく必要がある。

図 0-3

それぞれの世界で異なる「お金」の定義

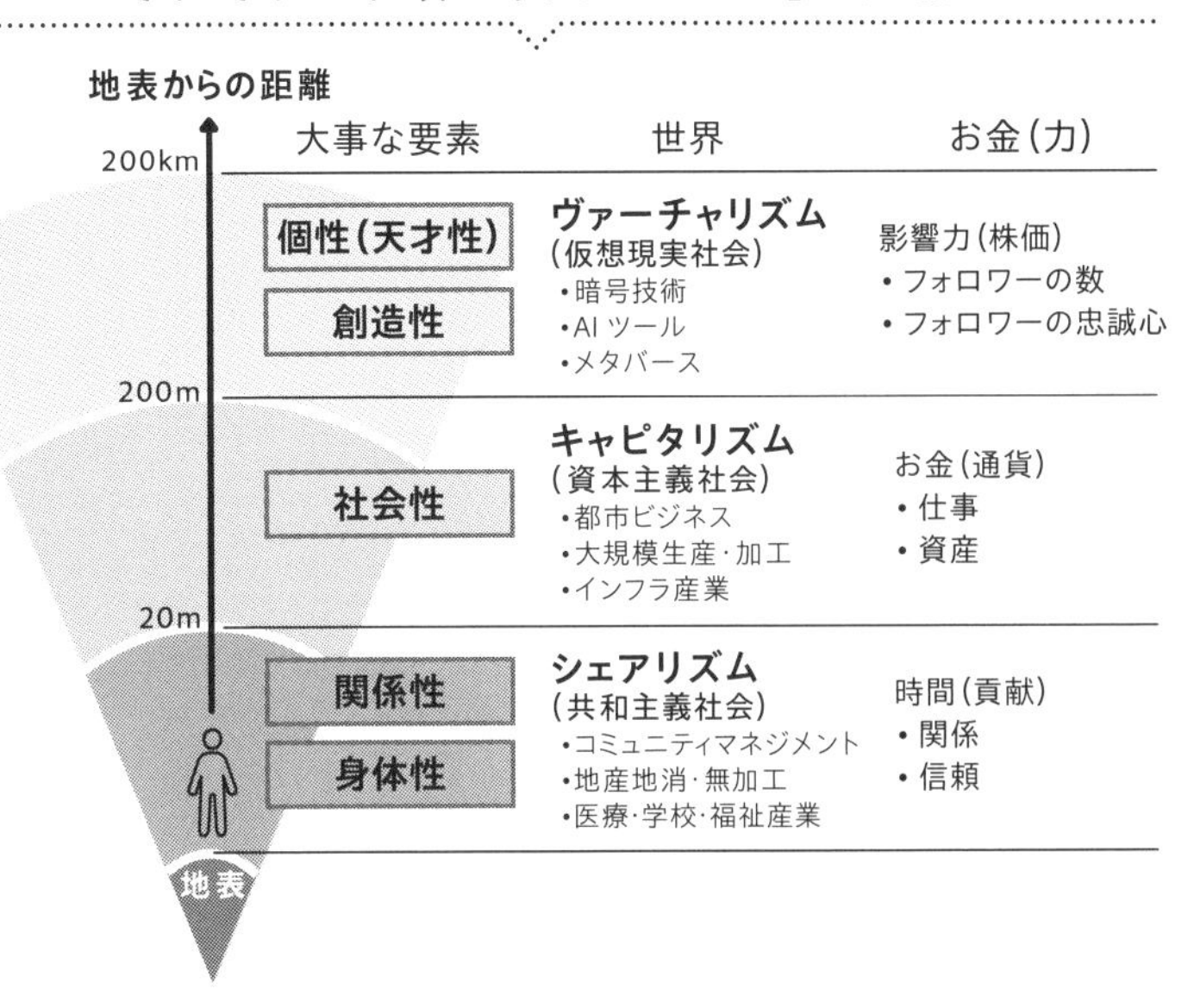

たとえば、ユニクロの代表である柳井正（やないただし）さんは、キャピタリズムにおいては言わずもがなの大金持ちであるが、ヴァーチャリズム、シェアリズムの世界では何も資産を持っていない。ヴァーチャリズムにおける〝お金持ち〟の代表例は、ＹｏｕＴｕｂｅｒをはじめとするインフルエンサーたちだ。とくに新しい世代のお笑い芸人たちは、キャピタリズムの世界では柳井さんに比べてお金を持っていないが、ヴァーチャリズムの世界では抜きん出た存在である。

シェアリズムではどうか。地元の漁師や学校の先生を思い浮かべるといいだろう。ラーメン屋で出前を頼むと、「はい、お届けは○○先生の家ですね」といった会話を聞くことがあるだろう。その「先生」がお金を持っているわけではない。先生は地域に貢献しており、信頼はあるが、金銭的な資産は少ないかもしれない。

今後の世界で賢く生きていくためには、これらの3つの世界で〝お金〟とされるものがいずれも必要となる。

ポイントは、3つの財布に入っている価値は、一つひとつの財布を行き来することがなかなかできないことだ。

これから私たちは、それぞれが「3つの財布」を持たなければいけないのである。なぜなら、各々の世界でお金そのものが異なるからである。

とはいっても、現実的にはそれぞれの財布を持ちながら、正しくお金を貯めていくのは容易ではない。キャピタリズムの世界で、旧来のいわゆる〝お金〟だけを持っていても仕方がない。すでに明白なように、ソーシャルメディアにおけるフォロワー数なども一つのお金としての価値を持ち始めている。むしろ、こうした新しいお金を持たずして、ヴァーチャリズムの世界で生きてゆくことは難しいだろう。

3つの世界でお金をどう稼ぐか？

それぞれの世界でお金を築く方法についても説明しよう。

キャピタリズムにおいては、自らの立場を労働者から少しずつ資本家に移行する必要がある。まずは手元の10万円から株式投資を始める。もちろん最初は上場株か投資信託しか買えない。しかし、徐々に会社の価値の見抜き方を通じて、会社の価値の作り方を学ぶようになる。その過程で自分でも会社を作り、投資よりも経営を学んでいくことで、少しずつキャピタリズムの世界でお金を作れるようになる。**投資はお金を預けて待っているのではなく、積極的に会社や事業に働きかけて価値を自ら創り出すことにある。**

ヴァーチャリズムに関してはどうだろうか。

現在の動向としては、フォロワーやチャンネル登録者数がそのまま資産に直結している。SNS自体をまったくやっていない人もいれば、地道にコツコツ数千人〜数万人のフォロワーを集めている人もいる。フォロワー資産を築いておくことによって、何かを販売するにせよ調達するにせよ、すべての強力な接点になり得る。クラウドファンディングを始める際にも強力な後ろ盾となり得るだろう。すなわち、**フォロワーは将来の顧客対象になるわけで、経済的な関係ができるのだ。** こうしたフォロワーの資産的な価値は、現在の「量」から、将来は「質」によっても評価されるようになると思われる。

今後はページ単位のランクから一歩進んで、アカウント（人物）ランクが出てくるだろう。アカウントランクを高めるためには、発言や投稿内容を貢献的にする必要がある。私が本を書く理由の一つも、執筆することが、社会的に貢献できる仕事だと思っているからである。

私は匿名個人に対しては、決してディスらないことにしている。Xのアカウント一つ取ってみても、自分の資産（アセット）と位置づけて運用している。炎上商法は結果的にアセットの価値を減らすことになる。不用意に敵を作ることなく、静かに地道にアセットを確立してゆくべきだと考えている。炎上商法で集めたフォロワーはどうせすぐに消えてしまう。デジタルタ

ヴァーチャリズムではことさら「信用」と「影響力」が重要になる。

トゥーを残さないためにも、奇異なことは書かないほうがいい。

キャピタリズムの中だけでアセットを築くことに奔走するのではなく、世界間を横断したバランスが重要だ。

シェアリズムにおけるお金は、地域に対する貢献・時間が必須となる。地域の行事には積極的に参加するべきだし、地域のためになる活動は何でもしたほうがいい。幼なじみをはじめとする地元の交友関係も大切だ。


都心で暮らす人たちは、こうした素朴だけれども重要な事柄を忘れている可能性が高い。天変地異や戦争などの予測が難しい突発的な有事の際は、ヴァーチャリズムの資産が何の役にも立たないことがある。**住んでいる世界・場所が消失し、ゼロから生活をスタートするときに不可欠なのは、シェアリズムにおける資産であり、緊急時に自分が頼れる疎開先に徳を積んでおくことが重要なのだ。**

ただ、こうした行いは打算的・意識的に行うより、自然にできるようになったほうがいい。当たり前の話ではあるが、信頼関係は長い時間をかけて築かれるものだからだ。

目指すのは「ヴァーチャリズム」と「シェアリズム」

3つの世界の特徴についてまとめたものが、次ページの図0-4である。次章から一つずつ詳しく説明してゆこう。

その前に、3つの世界が生まれた背景と今後の動向についても触れておきたい。

さて、長く続いた資本主義と共産主義のイデオロギーの戦いは終わりを迎えつつある。「左派か右派か?」ではなく「上か下か?」、つまり上流と下流の断絶がテーマとなり、その対立が2020年までに明確化した。そこから始まった資本主義の機能不全が続く過渡期で、新しい対立構造が現れてくる。もはや誰も資本主義について語らなくなるだろう。

また、資本主義による格差も貧困も断絶も本質的な課題ではない。2025年以降、**問題は目に見える社会の現実ではなく、個々人の世界の認識へとシフトする。**

「社会はどうあるべきか?」ではなく、「個々人がそれぞれ心地よく生きるためにどのように世界を認識するのか?」へと命題が変わる。

空虚な世界観が露呈した資本主義(キャピタリズム)の先に私たちが目指すのは、2つであ

図 0-4

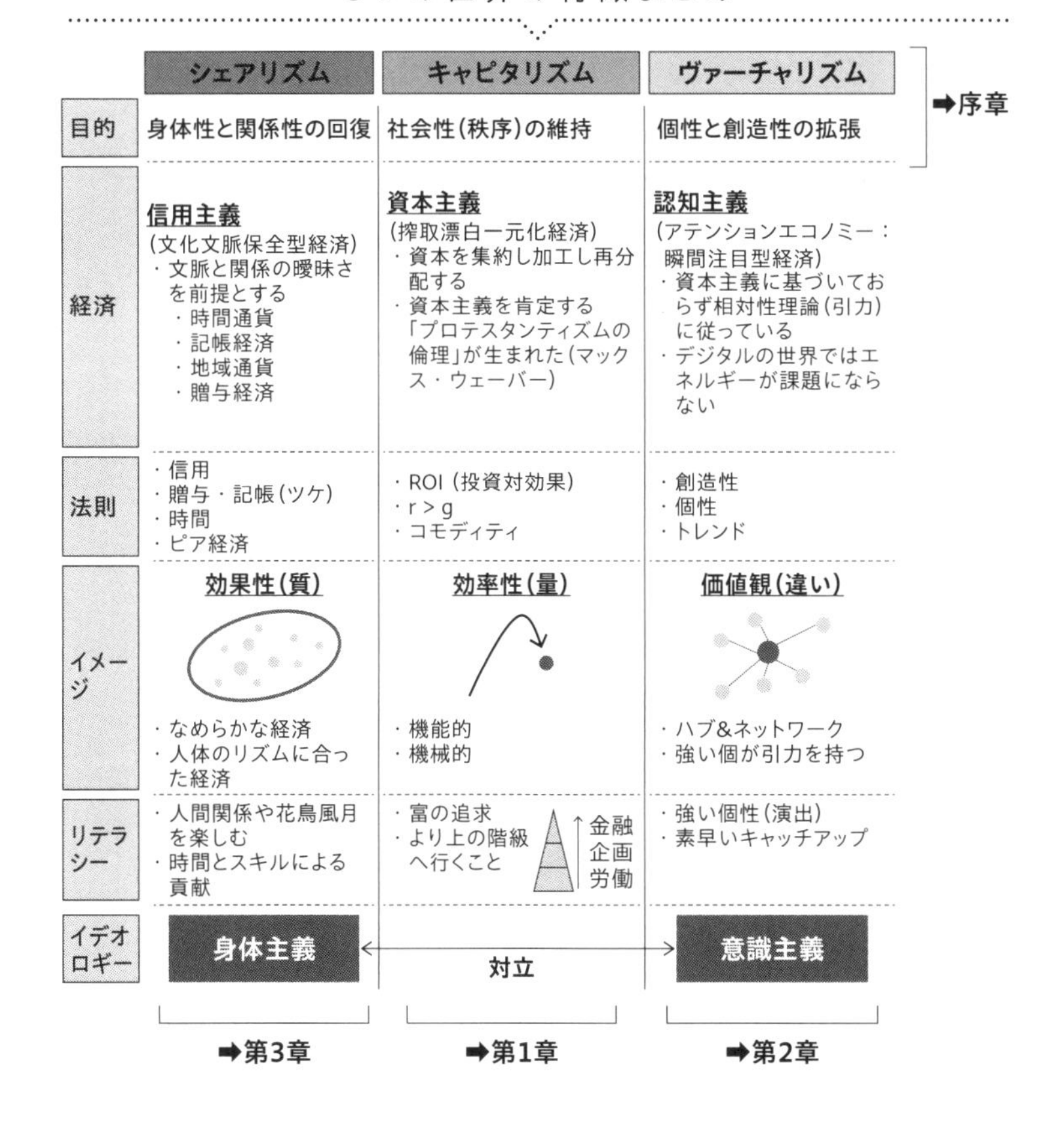

3つの世界の特徴まとめ

	シェアリズム	キャピタリズム	ヴァーチャリズム
目的	身体性と関係性の回復	社会性(秩序)の維持	個性と創造性の拡張
経済	**信用主義** (文化文脈保全型経済) ・文脈と関係の曖昧さを前提とする ・時間通貨 ・記帳経済 ・地域通貨 ・贈与経済	**資本主義** (搾取漂白一元化経済) ・資本を集約し加工し再分配する ・資本主義を肯定する「プロテスタンティズムの倫理」が生まれた(マックス・ウェーバー)	**認知主義** (アテンションエコノミー:瞬間注目型経済) ・資本主義に基づいておらず相対性理論(引力)に従っている ・デジタルの世界ではエネルギーが課題にならない
法則	・信用 ・贈与・記帳(ツケ) ・時間 ・ピア経済	・ROI(投資対効果) ・r > g ・コモディティ	・創造性 ・個性 ・トレンド
イメージ	**効果性(質)** ・なめらかな経済 ・人体のリズムに合った経済	**効率性(量)** ・機能的 ・機械的	**価値観(違い)** ・ハブ&ネットワーク ・強い個が引力を持つ
リテラシー	・人間関係や花鳥風月を楽しむ ・時間とスキルによる貢献	・富の追求 ・より上の階級へ行くこと 金融 企画 労働	・強い個性(演出) ・素早いキャッチアップ
イデオロギー	身体主義	←対立→	意識主義
	➡第3章	➡第1章	➡第2章

(目的の行:➡序章)

る。一つはテクノロジーによって実現される仮想世界（ヴァーチャリズム）、もう一つは地に足をつけた豊かな生活（シェアリズム）である。

ヴァーチャリズムは質的に未熟な解像度を、人々の想像力で埋めることによって巨大化しつつある。もちろん３ＤＣＧやＡＩ（人工知能）、ブロックチェーンに基づく経済システム、先述したＤＡＯなどの民主的解決によって世界の立体的な構築は進んでいるものの、まだ我々の五感（視覚、聴覚、触覚、味覚、嗅覚）をすべてカバーすることはできていない。

そして、シェアリズムの世界では、我々はより鋭く微細に五感を使って世界を捉え、小さくとも複雑な自然や人との関係を丁寧に築く方法を模索している。

土地に根ざした共和社会を創り、私たちの健康（ウェルネス）と豊かな生活（ウェルビーイング）を実現するために必要なのは、自然や動植物とのつながり、花鳥風月・季節の変化の知覚と、人々との交流である。そのためには、**知覚過敏となった現代人にとってリトリート（日常生活から離れ、心身を癒す過ごし方）によるリハビリ作業が必要である。**

実際、**私たちの多くは自然や動物の声を聴く力を失いつつある。**都会のノイズを風や水で流す実際的な方法さえ手に入れることができていない。インターネットの隆盛による情報量の爆発と、うつ病をはじめとした精神病の罹患量は比例関係にある。それは体内に蓄積され、脳内にも蓄積された情報や電気の流し方を忘れているからに他ならない。

疲れ切った私たちと荒廃した地方が結びつくことで、地方創生の流れが加速している。地方の荒廃をなんとかしようという動きだが、その本質的な目標は、体内に蓄積されたノイズ情報と資本主義の分断によって疲れ切った都会人の癒しにあった。だが、プライドの高い都会人はそれを認めない。むしろ「DX」などの無為な言葉を用いて地方にマウンティングしている。しかし、**本当のところ救われているのは、地方の人ではなく都会人である。**

コロナやリモートワークが後押しする形でUターン・Iターンが進んだ。しかし、それが定着するには、人々の意識的な変化が必要だった。実際、人々は身体的な知覚能力を取り戻しつつある。人は思い出す。身体こそが人間の基盤であるということを。だが、それをすべての人が悟るにはまだまだ時間が必要となるだろう。

contents

序章 2040年までを生き抜くための処方箋

第1章 《キャピタリズム》お金によって突き動かされる世界

第2章 《ヴァーチャリズム》ネットワーク上に出現する新しい秩序と制度を持つ世界

第3章 《シェアリズム》自然のリズムで人々が協力し、土地に根ざして生きる世界

終章　3つの世界の先に、意識の次元を見つめる

序章

2040年までを生き抜くための処方箋

3つの世界の詳細に入る前に、目を逸らすことなく、破綻期を迎えた日本の現状を直視してみよう。私たちが置かれた状況は、あなたが思うよりも深刻だ。どうすれば不安定な時代を生き抜くことができるのだろうか。まずは時代を大局観で捉えよう。そのうえで、この多層化する世界でそれぞれが生きてゆく指針を見出してゆこう。

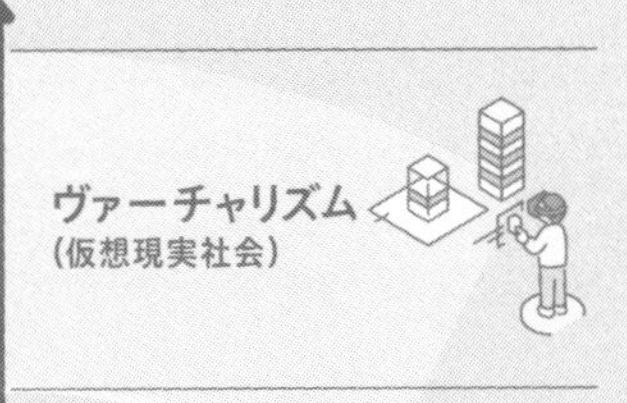

キャピタリズム
(資本主義社会)

破綻期を迎えた日本

崩落する資本主義

さて、暗い話は数ページで早々に終わらせよう。ちょうど２０２０年、コロナ禍のあたりから、社会を見渡すと様々なほころびが見え隠れするようになった。

世界の富の80％は１％の富裕層が持ち、我が国政府の異次元金融緩和の結果、異次元の富が喪失した。一夜にして時価総額１兆円を超えるメガベンチャーが生まれる一方で、月収15万円以下で勤勉に働く医療介護従事者が同時に存在する。21世紀に入っていまだに代理戦争をくり広げる東側と西側の覇権争い。一人あたりの命がわずか３０００万円以下の国では、高価な無人戦闘機（ドローン）ではなくコスパの良い人海戦術が行われる。命はカネよりはるかに軽い世の中となり、多くの人がそれを当たり前のように思っている。資本主義は終末期を迎えている。

劣化する民主主義

政治の世界を見れば、独裁政治が横行し、民主主義国家でも「票」を金で買う時代になった。ドバイから暴露系ＹｏｕＴｕｂｅｒが、国内では、全国たばこ販売政治連盟の組織推薦を受けながらガン撲滅を訴える元アイドルが参院選に出馬して当選した。二世・三世議員が過半を占め、知識や経験、品性をも欠いた議員たちの跋扈（ばっこ）する議会を国民は冷たい目で眺めている。

国政は、もはや豪壮な議会の建物内で決まるのではない。ネット上の仮想空間ですでに決着がついている。選挙のみならず、世論はＸ（旧Ｔｗｉｔｔｅｒ　以下同じ）でほぼ形成されていて、国会は茶番であるとわかってきている。形骸化した制度と権威を保つために必死な、豪壮な建物群やメディアが皮肉に見える。これは間接民主主義の終わりを告げている。

代議士ではなく、インフルエンサーによる２０００万人のフォロワーへのＸのダイレクトなつぶやきが国家の方向性を決める。政治家はカリスマでないのであれば、無意味な存在になる。古代ギリシャ・ローマのようにアゴラ（今ではＸか）で直接民主主義が行われる。衆参両議員は中間管理職に過ぎなくなる。地方では、首長と老人がコミュニティの方向を決める。

あきらめに似た空気が都市部を覆い、地方では「おらが村」の思想が深く深く根を下ろしており、改革をはばむ存在となる。さながら、民主主義の終わりを見ているようだ。

消滅する文化資本

生命の尊さ、歴史の文脈、文化資産、これらの計数化できないものに対して振り向く人はおらず、文化は資本によってどんどん削り取られ、薄く引き伸ばされ、軽く浅くなってゆく。大量生産により提供されるＮｅｔｆｌｉｘ・Ａｍａｚｏｎプライムのコンテンツによるアヘン漬けの中で、人の考える力も感じる心も弱くなってきている。

このままＩＱ／ＥＱ（知能指数と心の知能指数）が下がり続ければ、学者の言う２０４０年よりもずっと早くシンギュラリティ（人間の脳と同レベルのＡＩが誕生する時点を表す言葉）は訪れるだろう。２１００年までに国家という存在は亡くなると主張する経済学者もいる。

社会を覆うあきらめに似た空気と、「我が子だけは」と必死に子の将来に介入しようとする親たちが増えている。誰が見ても一つの時代の崩壊前夜である。80％の親が子どもは世界で生きていけるようにしたいと思って教育に熱を注いでいる。これらを否定はしないが、**経験や知識、ましてや学歴より真に育むべきは、洞察力と好奇心を元にした主体性のほうである。**

縮小する労働市場

目を凝らしてみよう。日本の労働市場にブルーオーシャンはもう存在しない。

今の日本で働こうと考えているのであれば、少しだけ聞いてほしい。

終戦を迎えた1945年から1985年をピークとする40年間は、たしかに労働市場があった。1991年に日本経済のバブルは崩壊し、その後はお茶を濁すように政治も経済も臭いものにフタをしてきた。

現在、日本の労働者は6000万人。一方、年金受給者は4000万人にものぼる。生活保護受給者や特殊団体職員、その他文化・学術など、何らかの形で国からの助成・補助金に生活を依存している人の数を加えると、さらに1000万人ほどその数は増えるだろう。

つまり我が国では、**生産人口と依存人口は同じ割合になっている。もらっている人、稼いでいる人が半々であるということだ。**このままの状態で、国が成り立つはずがない。まずは自らが立たされている現状を把握し、この本で解説する3つの世界で生きるためのヒントを模索してほしい。

社会の寿命は80年

もっと俯瞰で自分の置かれた状況を把握しよう。

そもそも、(近現代における)一つの社会システムの賞味期限は、人間の寿命と同じでせいぜい80年ほどである。この国は1945年の戦後の焼け野原から始まり、新しい社会や産業を形作ってきた。戦後より前を考えれば、1868年の明治維新、さらに80年前の江戸の大改革により社会は刷新された。1945年を今の社会の誕生年とすると、2024年ですでに79歳である。間違いなく私たちが生きる社会は寿命を迎えつつあるのだ。

延命措置をしながら生きながらえているこの社会において、労働市場にコミットするのは愚かである。**衰退する国家の中で、無駄な青春と自己資源を投じてはならない。**

今は婚活でも何でも相手の「年収」を重要視するが、愚かなことである。世の中の富はストック(資産)とフロー(年収)に分かれるが、死を直前に迎えた社会で注目すべきは当然、ストック(資産)のほうである。衰退期にある社会において、フローの成長は一部を除いて見込みづらいためである。

完全に焼き尽くされたレッドオーシャンの労働市場において、いまだに本当に高い年収を得ている人間は、大まかに言うと3パターンに分かれる。過去70年間で作られた階層の上位に位置して生まれ、たまたま安定した職業に就いている者、弱者からなんらかの搾取をしている者、あとはこの社会にタダ乗りをして稼いでいる「やから」である。

時代を大局的に眺めることで浮かぶ「4つのテーマ」

こうした危機を認識したうえで捉えたいのは、4つの時期と、各時期に主流となるテーマ、つまり**成長期、停滞期、低迷期、破綻期（それぞれ、努力・個性・チート・革命）である。**

それぞれの時代に流行るものを整理しておこう。

各時代に漂う支配的な空気感を言語化して把握しておくことにより、過去から学びつつ、未来を見据えながら現在の行動規範を定めることができるからだ。

- 成長期（1960〜1990年）↓努力
- 停滞期（1991〜2000年）↓個性
- 低迷期（2001〜2021年）↓チート
- 破綻期（2022〜2025年）↓革命

日本は２０２２年から２０２５年まで破綻期に入った。

低迷期（２００１～２０２１年）では、チート（抜け穴）やフリーライド（社会にタダ乗り）が流行る。臭いものにフタをして腐敗を隠すが、現実は地盤沈下している。

しかし、これからの破綻期ではもっと暴力的なことが起こる。襲撃、暴徒、事変、秘密警察、ナショナリズムの台頭、軍費増大、宮家の軋轢である。これからの日本では、白昼堂々と暴力が横行し、外出するときに気をつけなければならない日が来るかもしれない。

とても残念である。私は戦後からの80年で、日本は物質的豊かさから一次元上の社会に進化する可能性を持っていたと思うからだ。しかし、どうやら違う方向に向かっている。実際にはもう一度、１５０年前（2サイクル前）から同じことをくり返す流れになりつつある。

さらに言えば、壬申の乱（６７２年頃）からのくり返しのようにさえ見える。当時の背景には大陸（中国・朝鮮半島）の脅威、天皇家の継承問題、パンデミック、経済破綻があった。

おそらくこれから一度は「○○事変」とでも呼ぶべき大きな問題が起こるだろう。当然、そのような蜂起は鎮圧されるはずである。それでも、集団の反抗的な無意識はじわじわと醸成され、蓄積してゆく。本当の変革が行われるのはその後だ。

日本人の2人に1人が「庶民」に凋落する

先日、X上でアンケートをとったところ、目指す方向性が、現状維持の「殉教派」(11%)、地方への「疎開派」(41%)、国外への「脱出派」(19%)、社会を変える「革命派」(28%)の4つに分かれることがわかった。

数年前、「上級国民」・「下級国民」などの言葉で社会階層が揶揄されることがあったが、今後はさらに階層が細分化してゆく。まず、東京のセキュリティや衣食住の品質の良さ、価格の安さに目をつけたスーパーホワイトカラーが世界から進出してくる。もはやロンドンやパリにイギリス人やフランス人は少なくなっているが、日本でも東京の中心に住めるのは、一部のエリートとインフラを支える労働者だけだろう。

理解すべきは、**東京は日本の一部ではなく、独立した国際的な都市国家になるということである。**ここに住む人たちは「都民」である。一方、地方でもきちんと民主政治への参加率の高さと生き方の寛容度を備えたコミュニティが大事であり、そこに住む人を「市民」と呼ぶ。

どちらにも入れないのであれば「庶民」である。50〜60%の日本人が庶民に入ることになるだろう。凋落する日本の財政と社会保障の欠如に苦しむことになる。それに並行して、孤独も増える。

今後は、日本という枠組みにコミットするのではなく、視野を地球にまで広げた国外（グローバル）か地域（ローカル）かの2つしか選択肢がない。

皆さんはどちらの側で生きてゆくだろうか？

私たちにできること

人口構成からわかる世代別の悩み

すべての人はそれぞれに異なる悩みを持つ。人間はやはり環境の奴隷であり、とくに日本人は社会環境に人生のほとんどをからめ捕られてしまう。自分の問題だと思いながらも、実は人生の半分以上は社会の問題に左右される。島国とはそういうものだ。

だから、今の悩みをきちんと世代別に整理しておきたい（次ページの図1－1）。

図を見てすぐわかるように、日本の人口構成は「ふたこぶラクダ」の形状をしており、団塊世代とその子どもの団塊ジュニア世代が圧倒的に多い。そのため、経済も政治もその二世代の影響を受けやすい。団塊世代は重要な票田だから社会保険料が今後下がることはないし、彼らが現役世代にいるときは労働法改正ができなかったわけだ。ラクダの背の狭間にいるバブル、ゆとり、さとり世代はおのずと社会のマイノリティ（少数派）になり、政治経済よりもマイペースに生きる道を選びやすい。

図 1-1

世代別に人生のテーマも悩みも根本的に違う

年齢別人口分布と年代別金融資産保有額（中央値）

（千人）
2,000
1,000
0

子育て問題
介護問題

断絶世代
10代
分散世代
25
ゆとり、さとり世代
団塊ジュニア世代
50
バブル世代
団塊世代
75

年代別金融資産保有額（中央値）
（目盛は右）
年齢別人口分布
（目盛は左）

（千円）
10,000
5,000
0

0
20
40
60
100
（歳）

	断絶世代〜ゆとり、さとり世代	団塊ジュニア世代・バブル世代	団塊世代
グローバル層	海外脱出・外資組（5%）	余裕層（5%）	アクティブシニア（20%）
	アスリート・芸能〜夜職等の若さ売り（5%） スタートアップ・一発逆転（15%）	サラリーマン／労働者（62%）	
ローカル層	既存産業への所属（40%）		認知症などの疾患（40%）
	家族親戚への依存 →ひきこもり・ニート or 大学院（35%）	逼迫層（33%）	癌などの身体の病気（40%）

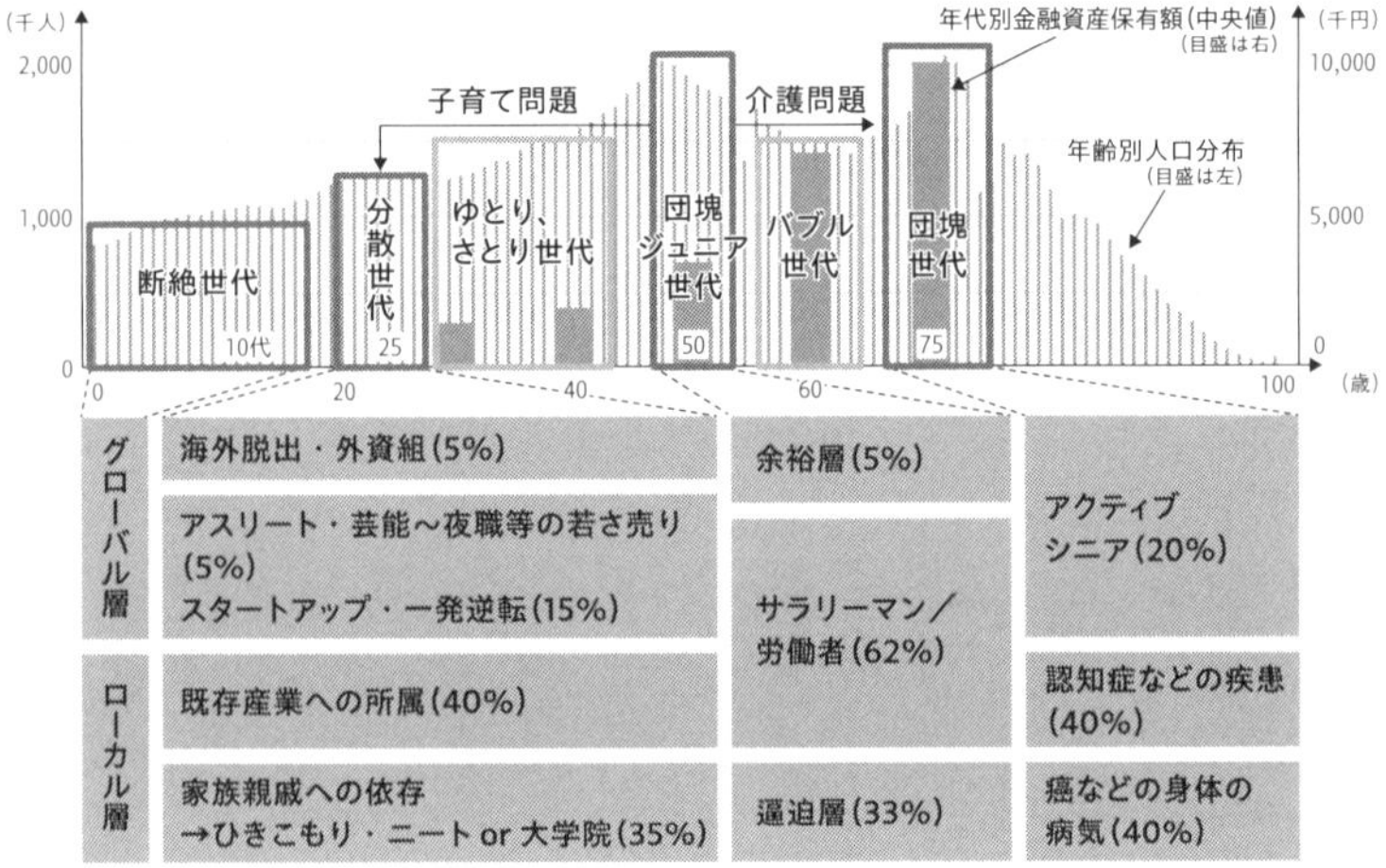

出所：「2021 年人口推計」、「（参考）家計の金融行動に関する世論調査［総世帯］（令和3年）」をもとにブルー・マーリン・パートナーズが独自に作成

それにしてもこのふたこぶラクダの人口構成の悲しさは、団塊世代は1学年に約２００万人、その子どもの団塊ジュニア世代も同じく約２００万人いるのに、その団塊ジュニアの子どもは1学年に１００万人もいない現実である。少子化の恐ろしさが窺える。

再度、前ページの図１−１を見てほしい。今の10代や20代が産むであろう子どもの数は、おそらく1学年50万人にも満たないであろう。つまり、わずか二世代の間に子どもの数が２００万人から50万人に減ってしまうのである。

こんな現実を見せつけられてまだ老人への過保護な政策を続けている政治家たちは、異次元金融緩和という数百兆円を溶かした大罪以上の問題を犯すと言わざるを得ない。とにかく余裕のない日本の中でまだ生温い政治をやっていると本当に国を潰してしまう。あなたは気づいているだろうか。

分け合えば余り、奪い合えば足らず。全体最適の追求こそ個人最適の最高の手段なのだから、私たちは問題を社会全体で捉えて個々人を包摂してゆきたい。

10代のあなたへ～好奇心と心理的健康を重視して生きよ

今の10代は完全なる断絶世代である。教育でも生活環境でも圧倒的に階級化が進んでおり、富裕層の子どもと下層階級は決して交わることはない。親の関心はただ一つ、日本がどうなっても自分の子どもは世界で生きていける力を持ってほしいという願いである。それに漏れたらローカルに、うまく教育できればグローバルに羽ばたける。

ただ、それを分けるのは学力ではない。決して偏差値でもない。子どものセンスとエネルギー量である。ＡＩは偏差値の天敵であり、**20世紀の基準である偏差値教育は、少なくとも2040年までには21世紀のセンス（意識）教育に駆逐されるだろう。**医学部も法学部も知識ではなく、倫理とセンス（意識）による試験に置き換わる。

子どもにはどうか学校で教える知識以上に、センス（意識）を磨くよう働きかけよう。**異なる人との交流、アートと自然に触れる機会、完成品を与えるのではなく材料を施し、工夫して自ら創るプロセスを与えてほしい。**実は、この国にはかなりの量の生活支援や奨学金制度が存在するので、親は貪欲に探してほしい。

もし君が普通の公立に通う小中学生なら（この本の読者にはそのような年齢の者はいないだろうが）、学校の勉強や行事についてはほどほどに絡んでおくことだ。読み書きそろばんは大事だが、学校に通うことがストレスなら登校しなくてもいい。むしろ、自分の好奇心と心理的健康を重要視して生きよう。どうか自分勝手に生きてほしい。

モンテッソーリやシュタイナー、あるいは海外の寄宿学校など、先進的な試みをしているか、超エリート私立校なら通う甲斐は多少あるかもしれない。だが、今の教育システムは労働者向けに設計されたものだ。君たちが生きる社会に出るのは今から10～20年後、80年遅れである。

真の学問は他のカリキュラムを使って自分で身につけろ。**将来、エリートになるならノブレス・オブリージュ（身分の高い者はそれに応じて果たさなければならない社会的責任と義務があるという意味のフランス語）を、自由人になりたいならストリートスマート（地頭）力を、地球市民（場所にとらわれず世界中で活躍する人たち）になりたいなら世界常識を学べ。**

もし君が大学生なら、少なくとも就職に向けて安易にスキルや経験を磨くのは避けよう。今の日本で就職していいのは、辞めた後に箔がつく財閥系か、真のビジネス力がつく外資系だけだ。就職サイトに掲載される90％の企業は時代遅れであり、君たちの時間は労働という形で搾取されるし、新しい時代が来たときにその知識と経験は役に立たない。

20代のあなたへ～世代間で連携しながら生き抜け

資本主義に疲れた若者たちよ。今は日本を出よ。富を得たければアメリカへ、豊かな暮らしを知りたければヨーロッパへ、元気をもらいたいならアフリカへ行け。

書店に並ぶ「FIRE（Financial Independence, Retire Early）」の本に踊らされ、早期リタイアに憧れたり、その思想をむやみに信じたりしてはいけない。お金などいくら貯めてもそれほど意味はない。安心できるのは一瞬である。

本書で提示する新しい世界では、「円」やその他のお金自体、価値や意味をそれほどなさなくなる。一見資産があるように思えても、いずれは使えなくなる。**もしまとまったお金を手に入れたいなら、人生の基盤を強固にすることに使うべきだ。**

とくに自分と家族の健康、家の修理や改築などをはじめとする生活基盤の整備、知識と教養を吸収するための支出（家庭教師や大学院）、そのうえで自分の事業の基盤作りや組織への投資など、8割は未来に充ててしまおう。具体的に言えば、積極的に友人に会いに行き、お互い助け合いながら、あなたが今後続けてゆきたい事業に向けた勉強などに時間を充てるということだ。

とはいえ、キャリアに答えがなく、お金もない現状は不安かもしれない。労働市場にブルーオーシャンはなく、既存産業に夢もない。アーティストやインフルエンサーの道はあるが、需要は短い。安易な稼ぎの追求は、その後の長い人生にとってリスクでしかない。スタートアップや海外のキャリアはいいが、能力と体力が求められる。家庭に平穏はなく、仕事に未来はない。試行錯誤と世代間の横の連携で生き抜くしかない。

会社組織に避難するなら財閥系、マーケットでサバイバル力を身につけるなら、早く自分の師匠を見つけてそのプロフェッショナル組織に弟子入りすることだ。

学生の就職先として安定的に人気のあるＩＴメガベンチャーに勤めて、何となく安心感を得ている新卒社員もうかうかしていられない。一定のビジネスリテラシーは身につくかもしれないが、それでも「労働にとらわれている」ことに変わりはない。これらのビジネス職とはドブ板営業の言い換えに過ぎず、その営業経験やスキルは日本でしか通用しない。３年で辞める前提ならまだ許容範囲だが、会社に居続けたいと考えているなら今すぐ考え直すべきだ。

歳をとるにつれ、慣性の法則が働いて動きづらくなる。実際、新卒社員の３分の１は３年以内に最初の就職先を辞める。しかも、その理由の多くは人間関係に起因する問題とメンタルの不調である。そうなると、その先のキャリアもクオリティ・オブ・ライフもだいぶ低くなるのだ。

無職の君は将来が心配だろうか？　いや、それはむしろラッキーな境遇かもしれない。不満も不安もあるだろうが、心身はきっと健康だろう。のんびり英気を養いつつ、次の時代の波に乗ろう。君はおおむね正解の道を行っているはずだ。

30代のあなたへ～古典を読み、仕事以上に健康に意識を向けよ

会社で働いている30代の人も、心の内で本当はどう思っているだろうか？　十分な給料をもらっていたとしても、仕事に思い入れは少ないかもしれない。実際、仕事へのコミットメント

（やる気）とエンゲージメント（忠誠心）は、日本は世界でも最低水準である。

もし忠誠心も待遇もなく、微妙な会社に勤めているなら勉強しよう。古典を読もう。ギリシャ、ローマ、中国、古事記や日本書紀でもいい。**時間の検証に堪えてきた古典は正しく役に立つ。本当の教養とは単なる知識ではなく、本質の理解とその現実への応用のことである。**古典は教養を与えてくれる。知識とは体系化された情報のこと。情報とはパーツである。古典を読む力がないならＹｏｕＴｕｂｅで解説でも聞こう。正しくはないが、入門としてはいい。

35歳で大企業に勤めてラッキーと思っているならセンスがない。大企業とは、月30万円のベーシックインカムを支給する生活保障制度に過ぎない。**生き抜くスキルやあり方は、磨くしかないのだ。**

昔は学生の就職先の花形であったメディアの中心、テレビ局・新聞社は早晩、10社から2～5社へ縮小・統合される。巨大メーカー、交通・建設などのインフラ企業を含め、一部上場企業のうち6割は低迷から凋落へと向かう。今後、円が暴落すれば、少なくとも「日本の」会社ではいられなくなる。

安泰な職業の代名詞である公務員もクビにならないと思いきや、常に勉強と社会に合わせたアップデートが求められる。そしてその時間と費用は自ら捻出しなくてはならない。身分が保障されている分、薄給の公務員は休日や勤務後の時間を勉強に充てなければならないのだ。せっかく世間から隔絶して生きてゆくことができたはずなのに、「市場の水準に合わせろ」と言われてしまってはまったく割に合わないので、他の選択肢を模索するようになる。

フリーランスであれば、まず、生活コストを極限まで下げる用意をしよう。近藤麻理恵（こんどうまりえ）氏の言うように、ときめかないものは捨て、ストレスのある人間関係は整理して、もう一度語学をやろう。適当でもいいから英語と、もう一つ別の言語ができるようにしよう。そうすれば、さらに大きなパイの中からあなたのクライアントや仲間を探すことができる。円安が進めば、外貨を稼ぐ可能性も持つことができる。**お金は大切だが、信頼と信用のほうがもっと大切だ。信頼は貢献・行動（doing）によってたまり、信用はあり方（being）が築きあげるものだ。**パートナーを作り、寄り合って暮らそう。

ベンチャーや中小企業経営者は大変だと思う。雇用もビジネスも家族も、守るものが多すぎる。あきらめよう。パラダイムは変わる。古い事業ならば、手放してしまおう。もう少し頑張ればなんとかなるなら、株を譲ってでも他人に幹部に入ってもらい（たくさんの人を見てきたが一人では無理だ）、ＩＰＯやＭ＆Ａのマーケットで会社に値段がつくまで頑張ろう。それがあなたの年金になる。

でも、無理は禁物。仕事以上に健康に意識を向けよう。免疫力を上げる最高の方法は運動でも食事制限でもない。毎日をご機嫌に過ごすことだ。

40〜50代のあなたへ〜親を頼りつつ健康の知識を身につけ、実践せよ

これから一番つらいのは、45〜55歳の団塊ジュニア世代である。子育ての負担に加えて、これから5年以内に膨大な親（団塊世代、とくに75〜85歳）の介護問題を抱えることになる。もちろん、社会や産業の変化による自分の仕事の負担も大きい。親・自分・子どもの三方向に振り向ける時間もお金もまったく余裕がない。

45〜55歳で大事なのは、生前贈与を含めて、いかに親に頼るかである。

年代別の金融資産で見ると、この世代は親の3分の1も持っていない。理由はもちろん、団塊ジュニア世代の親は日本の成長期に現役で、自分たちは衰退期に現役だからだ。だからこそ、経済面については臆することなく率直に親を頼ってほしい。それも、認知症が始まる前に対話しておかなければならない。とにかく余裕がないからだ。

また、親のケアについていかに早めに知識と意識を向けておくかが重要となる。**マルチタスクで精神的にも体力的にもエネルギーが必要なこの世代に必要なのは、健康（と美容）に関す**

る知識と実践である。

大企業に勤めるサラリーマンは、とにかく「逃げ切ること」に躍起になっているかもしれない。たしかにそれも可能だろう。しかし、退職までの約20年間、あなたはお金をもらいつつ、死んだふりをして過ごすことができるだろうか？　生きるとは、身体が死んでいないことではない。人生とは創造のプロセスであり、躍動する精神を持ち、日々を活き活きと過ごし、未来を切り開くことだからだ。

働くことは人生のすべてではない

十分なお金があるなら早く引退しよう。ジョブズが死ぬ前に本当は何と言ったか？　真偽のほどは定かではないが、「人生は適当な財を築いたらあとは愛する人と過ごし、楽しむべきだ」と言ったんだ。アリババの創業者であるジャック・マーは、それを聞いてとっくに引退した。ゲイツ家には「人生の半分で稼ぎ、残りの半分で使い切れ」という家訓がある。だからビル・ゲイツは社会価値を生むために金を使うのに忙しくしている。

江戸の落語に出てくる御隠居は、60歳ではなく40代のことである。人は働きすぎている。

ローマの哲学者セネカは、「人生は短い。哲学したほうがいい」と言った。皇帝ネロの家庭教師だったが、今でいう官僚のトップでずっと多忙だった。最後は全財産を差し出す代わりに引退を認めてもらった（が、結局、ネロに自死させられた）。

あなたに生活できるほどお金があるのなら、稼ぐのはストップして本当の仕事（他者や社会に役立つこと）をタダ、もしくは持ち出しでやろう。あるいは引退して花鳥風月を愛で、古今東西・森羅万象を識り、楽しもう。本当の仕事でお金を得ようとしてはいけない。それは複雑すぎる。今やお金が得られることと仕事（すなわち他者や社会に貢献すること）はつながっていない。**仕事と労働は切り分けよう。**それで悩みは減る。**生活は質素に、できるだけ自然の中で暮らそう。**

「老害」は間違い

「老害」という言葉が流行っている。しかし、それは間違いだ。かつて若かった人々＝今の老人がこの国の今を作り上げた。その過程で資産を貯めつつ、今また年金などの形で恩恵を享受しようとしている。つまり、今のこの国の土台やインフラは老人のモノなのだ。下の世代へ承継されることはない。

それを横から出てきて「よこせ」と言うほうが間違っている。我々は自分たちでゼロから産業を、社会制度を、そして国を創り上げなければならない。

さらにやるべきは、既存社会・産業を「終わらせる」ことであり、令和の大政奉還を成し遂げ、新しい社会のグランドデザインを描くこと、そして新しい産業の創成にコミットすることである。そのためには、旧社会システムと旧産業の中にいてはならない。労働者として中途半端な企業に所属し、日々をやり過ごそうとしてはならない。

そんなことを言われても、「じゃあどうすればいいのだろう」と絶望せずに聞いてほしい。今すぐ取り掛かれることもたくさんある。「そんなことが何のためになるの?」と面食らうかもしれないが、まずは次のリストに目を通してみてほしい。

- 卒業アルバムを探し出し、幼少期から青年期の友人と連絡を取り合おう
- 数年ぶりの同窓会を企画しよう
- 今年はメールではなく紙の年賀状を送ってみよう
- 子どもの頃に連れて行ってもらった近くの海に行って砂浜を裸足で歩こう
- 庭があるなら簡単な食物の種を植えてみよう（ついでに泥遊びをしよう）
- 実家に戻り、家族の誰も使わなくなった物をメルカリやブックオフで売ろう

- 今自分が住んでいる土地や生まれ故郷の縄文時代からの歴史を調べよう（Wikipedia でもいい）。できれば文化会館や郷土資料館に足を運ぼう
- 自分にとってもっとも割のいいバイトが何かを考えてみよう
- 暗号通貨の「ウォレット」を作り、貯金の1割でもお金を移しておこう
- 子どもと一緒に今流行っていることを真剣にやってみよう
- 将来に備えてバーンレート（持っているお金／月にかかる費用）を計算してみよう

これらの意味するところは、今はわからないだろうが、まったく問題ない。本書で順を追って説明していく。これから起こる世界の変化を理解したのなら、右記のアクション一つひとつに込められた意味が理解できるはずだ。

一番大切なことは、ここ数年、急ピッチで変化を遂げた世界と日本の情勢を俯瞰的に捉えてあと20年、つまり2040年までの自分の生き方のコンセプトとスタイルを確立する（言語化する）機会に充てることだ。

次章以降では、視点を一気に広げ、本章の核となる〝3つの世界〟について詳述していく。

先述したように、資本主義と社会主義の対立は終わりを告げ、世界は3つの層へ分かれ始め

た。3つに分化しつつある世界は、日本はもちろんのこと、普遍的事象としてすべての地域を包み込んでゆく。それぞれの世界ではまったく異なる経済社会システムが働いており、生き方も一様ではない。まずは、それぞれの世界の目指す方向性と関係性から見てゆこう。

生きるうえで重要となる「5つの要素」

3つの世界が目指すもの

3つの世界がそれぞれ目指しているものは一体何なのだろうか?

もちろん、それぞれの世界は確固たる目的を持って進化しているわけではない。多くの人々の意識の集合体として試行錯誤を重ねながら、各々の世界のルールやシステムがボトムアップで構築されつつあるわけだ。

しかし、そうはいっても、各世界には何らかの目指す方向性があることも間違いない。それを知るためにはまず、私たち人間が生きてゆくにあたって不可欠な要素を考える必要がある。

分化する**3つの世界は、人間にとって必要不可欠な要素を別の形で現実的に満たそうとして出現した、いびつな三層構造**だと言えるからだ。

人間が生きてゆくうえで必要な要素は、次の5つである。

図 1-2
人間性の5つの要素とそれぞれの関係

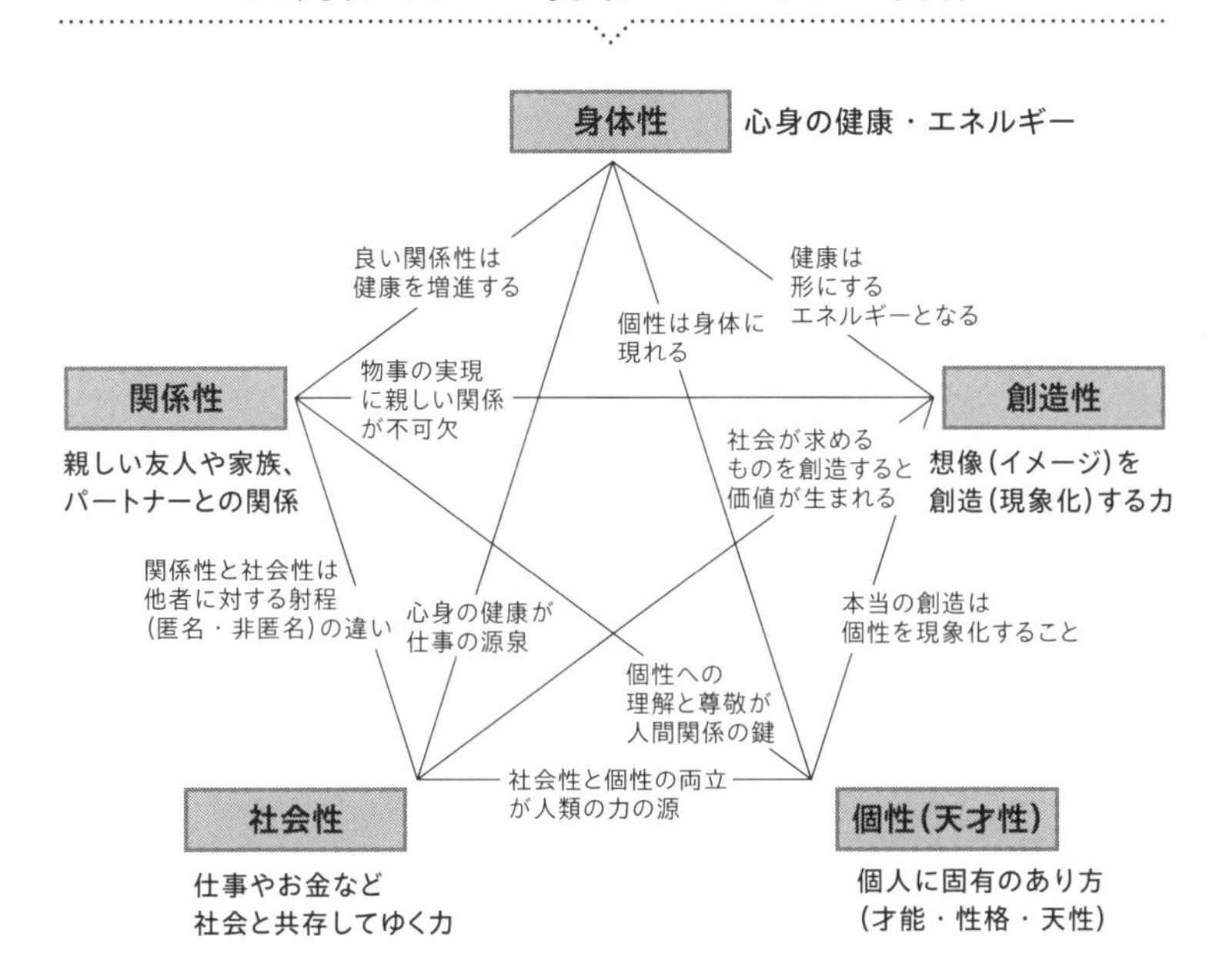

●「社会性」仕事やお金など社会と共存してゆく力
●「関係性」親しい友人や家族、パートナーとの関係
●「身体性」心身の健康・エネルギー
●「創造性」想像（イメージ）を創造（現象化）する力
●「個性（天才性）」個人に固有のあり方（才能・性格・天性）

これらの5つの要素は人にとって欠かせないものであるが、その要素間の関係もまた重要である。人間性の5要素と各関係については、前ページの図1－2に整理したので見てほしい。
これらの要素を個別の形で満たそうとして出現しつつある世界が、その成り立ちも仕組みも異なる3つの世界なのである。

3つの世界と5つの人間性の関係を簡潔に言えば、私たちは、社会性（お金や仕事）を追求しながら「キャピタリズム」に惹かれつつも、身体性と関係性の回復を求めて「シェアリズム」へ回帰するとともに、個性（天才性）と創造性の発揮・拡張を求めて「ヴァーチャリズム」へ飛び込んでゆくという構図が見て取れる。

不安定な時代を生き抜くために

人間を構成する5要素を育もう

不安定な時代をしっかりと生き抜くために必要なことは、先ほど紹介した**人間を構成する5要素、すなわち「社会性」「関係性」「身体性」「創造性」「個性」を個々人で育み、3つの世界をしなやかに渡り歩く知恵である。**

「はじめに」にある最初の質問をもう一度見てみよう。

● なぜIT長者は一夜にして数百億〜数千億円もの巨万の富を手に入れられるのか？ そしてそのお金は「実際」の生活で使えるものなのか？
● 社会に役立っていると思われる職業、たとえば保育士や介護士の給与はなぜ驚くほど低いのか？
● 日々、メディアで見るメタバースやWeb3・0、NFTなどの新しい言葉への不安感と不信感はどこから来るのか？

●政府が推し進める田園都市構想や地域活性化にうさん臭さを感じるのはなぜか？

●なぜイーロン・マスクは、Ｔｗｉｔｔｅｒ社を６・４兆円で買収したのか？

●これだけスマートフォンが普及する中、なぜいまだに国会を現場で行っているのか？

そもそも国会議員には、なぜあれほど信用できなさそうな人が多いのか？

これらの問いに答えるには、これまで述べてきた3つの世界との関係を見てゆくとわかりやすい。ここでは簡単に答えに触れるが、読者の皆さんは、詳しくは本書を読み進めてゆくことでより明確な答えにたどり着くだろう。

なぜIT長者は一夜にして数百億～数千億円もの巨万の富を手に入れられるのか？

ＩＴ長者が一夜にして巨万の富を手に入れることができるのは、株式市場で高い株価がつくからである。なぜ高い株価がつくのかといえば、それはＩＴで作られたサービスが世界中の人々を相手にできること、その人たちそれぞれにサービスを提供するだけではなく、サービス上でユーザー同士が交流する仕組みを提供することが多いからである。これを「ネットワーク外部性」（ネットワーク効果）という。そしてそれが一夜にしてできるのは、資本ではなく、知恵や技能が中核になっているからである。これはヴァーチャリズムとキャピタリズムの経済システムの大きな違いである。

これまでのキャピタリズムは、富を生み出すには資本を集約し、集中投下し、大量生産を行い、得た利益を再投資するという雪だるま方式の仕組みが必要であった。当然、一夜にして富を手に入れることはできない。しかし、ヴァーチャリズムにおける経済は資本を必要とせず、優れたサービスは一気に全世界へと広がり利用され、高い株価をつけることになる。逆に、その高い株価を元として大量の資金を調達し、投下したとしても、ヴァーチャリズムの世界では必ずしもキャピタリズムのように、雪だるま式に利益を上げられるわけではない。資本がそれほど役に立たないこと、そこがキャピタリズムとの大きな違いである。

そしてそのお金は「実際」の生活で使えるものなのか？

ＩＴ長者が手に入れたお金は、実生活で「ある程度」使える。ただし、その富は現金ではなく高い株価であるから、株を担保に現金を借り入れたり、一部を売却したりして現金に換える必要はあるが、そこまで手間ではない。むしろ富を一夜で手に入れた人たちはお金の使い方を学んでおらず、その使い道を知らなかったり、そもそもお金について無頓着であったりすることも多い。また先に述べたように、富を使って富を生むというキャピタリズムの再投資が得意なわけでもない。そして大金を生活のために有効かつ快適に使うには、「店」で買うのではなく「人」を介してサービスを買う必要があるが、そのようなネットワークやセンスを最初は持っていないケースが多い。執事を一人雇うにしても、最適な人脈のほうが、お金よりも大切なのである。したがって散財してしまうこともある。

「お金は稼ぐは才覚、使うは品格」というが、IT長者が「実際」の生活で有効に使えているかといえば、そのセンスや人脈の欠如から、家や車などはともかく生活を豊かにできているとは言い切れない。これは3つの世界との関係において、ヴァーチャリズムやキャピタリズムの成功者が、実際の生活の舞台であるシェアリズムでは成功していないからであるとも言える。

社会に役立っていると思われる職業、たとえば保育士や介護士の給与はなぜ驚くほど低いのか?

年収と社会価値は比例しないことが近年わかってきている。本来、お金は社会での価値を反映すべきものであるが、実際はそうなっていない。収入を決めるのは、所属する階級や提供するモノやサービスの依存性（中毒性）、外部性（リスクやコスト負担を他人や社会に押しつけること）などである。階級によって所得が決まるキャピタリズムの世界では、長期的に役立つモノやサービスに対価が行き渡らなくなっている。このことも、保育士や介護士の給与が低いことと関係している（より詳しくは79ページへ）。

日々、メディアで見るメタバースやWeb3・0、NFTなどの新しい言葉への不安感と不信感はどこから来るのか？

これらのヴァーチャリズムの世界の言葉は、身体感覚を大事にするシェアリズムの世界の人々にとって不安を感じさせる要素になっている。ヴァーチャル（仮想）とリアル（現実）という対比の中でリアルを大事にしたい感覚はわかる。しかし、人間にとって身体性が大事なように、個性や創造性も重要な要素であり、それを拡張するヴァーチャリズムのツールに対しても新たな興味を持って接してほしい。

政府が推し進める田園都市構想や地域活性化にうさん臭さを感じるのはなぜか？

地域の活性化や都市は、そもそもトップダウンで作られるものではない。人々の貿易や生活の営みの中で、自然発生的に作られるものである。

フランスの小売業大手「カルフール」の名称は、15世紀後半に派生した「4つの道が交わる場所」を意味する言葉に由来している。旅する人々が往来し、そこに交点ができて街が栄えてゆく。そのような自然な人の流れがボトムアップで都市を形成するのが通常であるから、政府が「街を作りましょう」という掛け声で作られるケースはゴーストタウン化する可能性が高いのは当然の結果といえる。大阪の夢洲(ゆめしま)は過去の大阪万博を想定した開発が頓挫し、期待されたほど人が集まっていない。他にも、トップ主導で作られた街が寂(さび)れた例は枚挙にいとまがない。

なぜイーロン・マスクはTwitter社を6・4兆円で買収したのか?

イーロン・マスクがTwitter社を買収してやりたかったのは、Webによる直接民主主義の実現だろう。彼にとってTwitterは、経済価値云々より先に、真の民主主義実現のツールになると考えていたのだと思う。ヴァーチャリズムの世界において今、Web3・0と呼ばれているものは、従来のようなウェブを単に機能として使うのみならず、Webの中に新たに「社会」を構築しようとする流れであり、Twitterは民意を取り込む議会になりえると当初考えていた。

スマートフォンが普及する中、なぜいまだに国会を現場で行っているのか? そもそも国会議員には、なぜあれほど信用できなさそうな人が多いのか?

残念だが、国会議員は全体最適や正義を貫くのではなく、特定団体に対する利益代表になっている。そういう議員からすれば、既得権益を守りたいので、政治（＝意思決定）の枠組みに市民を入れたがらない。だから、空間的な制約も取り払うことなく、古い意思決定のあり方を保持しようとする。代議士は世襲が多数となった。すると品格・人格・能力が保証されるわけでもない。現在の議会制民主主義は、キャピタリズムの世界と一蓮托生となっている。キャピタリズムというコンセプト自体が形骸化し、徐々に人々に受け入れられなくなる状況が続けば、社会における国会や議員の立ち位置も凋落してゆくだろう。

3つの世界は今後どうなってゆくのか？

富を生み出し続ける産業システムの減速

では、3つの世界は今後どうなってゆくのだろうか。序章のしめくくりとして先に結論を述べよう。

この原稿を書いているとき、ロシアとウクライナの戦争が続いている。日本に住む私たちは欧米の影響を強く受けているため、主要なメディアからの情報はロシアを非難するものが中心となるが、戦争に善悪はない。正義は人の数だけあるわけだから、それについては論ずるに値しない。ただ、プーチンはＫＧＢ（ソ連国家保安委員会の略称。旧ソ連の情報機関・秘密警察として軍の監視や国境警備を担当していた）の元幹部であり、往年の大国ソ連の夢を捨て切れないから、思想的には時代に逆行していると言わざるを得ない。世界はもう次の段階に進んでいるのだ。それは、昔のような共産主義と資本主義の対立ではない。大事なのは、資本主義vs共産主義というイデオロギーによる対立が終わることだ。

もちろんお金は残るし、お金による格差は広がる。それは貨幣経済の宿命であって、古今東西変わらない。しかし、資本の集約と投下によって富を生み出し続けるという産業システムは減速してゆくであろう。

土地に根づいた「シェアリズム」の台頭

産業革命で勢いづいた資本主義は、情報革命によって終わりを迎えつつある。なぜなら**情報革命によって資本の動きは加速度を増し、特定の個人へ資本の短期集中・離散をくり返すようになり、「資本投下による長期的大量生産」が成り立たなくなってしまった**からだ。

資本主義が作ってきたものは、言わば「カルピス」である。つまり、まず濃厚な原液（価値の源泉）があり、それに水を加えて薄くして飲みやすくしたわけだ。お茶で喩(たと)えれば、昔はおばあちゃんが実家で生の煎茶を入れてくれたが、今はペットボトルで保存料（ビタミンC）入りのお茶があちこちに流通している。昔と今を比べることに意味があるわけではない。濃厚なおばあちゃんのお茶と、簡単に手に入る薄まったペットボトルは、単に質か量か、どちらを取るかの違いに他ならない。

資本主義とは言ってみれば、「薄めて広げる行為」であった。**家具から家、知識から教養、人間関係に至るまで、ありとあらゆる分野で世界を「薄めて広めた」のが資本主義であり、当然、失われたのは文化・文脈の「濃厚さ」である。**感度の高い人たちは薄まったコモディティに囲まれ、またそれを創り続ける労働奴隷の立場に疲れ果て、身体性の回復を求めて地方へ向かった。この動きと連動して、シェアリズムの台頭が起こった。

具体的にはまず、地方創生の流れを起点に、都市からの回帰、もしくは二拠点生活が広がった。コロナ禍はその動きを加速させ、リモートワークによって都市の労働を田舎で行うことを可能とした。地方に散った人たちはただ地方で客人として生活するのみならず、地域をテクノロジーと新しいセンスでアップデートさせる。地産地消から始まり、ひいては土地固有の価値を見出し、都市国家化してゆく。

人々の誇りは土地に根づいたその土地固有の資源と生産物と生活に宿る。場所のブランド化が起こり、シェアリズムはコミュニティに必要な要素（法律・福祉・教育・医療・貨幣）を独自に開発してゆく。土地の根っこにあるエネルギー（地殻や植生の見直し。たとえば天然資源として温泉は油田とみなされる）が注目されるだろう。

人とアバターとAIの区別がつかない「ヴァーチャリズム」

こうした動きと並行して、テクノロジーの発展がヴァーチャリズムも台頭させる。いわゆるメタバース的な動きが起こり、人々は複数のアカウントやアバターを持つようになり、自らのアイデンティティ（存在価値）をデジタル空間に編み込んでゆく。ヴァーチャリズムは仮想空間と訳すが、本当は、デジタルリアリティ（電脳〝現実〟）のことである。

ヴァーチャリズムの世界では、身体を持たない存在同士による交流が基本である。だからそのアバターを動かしているのが人間なのか？　どのような国籍・年齢・性別なのか？　それ自体はわからない。もしくは人間でさえない可能性もある。たとえばサルやロブスターのような動物、植物、もしくはAIかもしれない。あるいは地球外生命体、さらに言えば別の時空間・次元に存在している意識体との交流も可能となる。ヴァーチャリズムがもたらす人間の意識の可能性については、とても難しいが終章で少し語ろうと思う。

汎用化や画一化を追求するキャピタリズムに疲れ、そこから逃避した人々は、人生の手応えや身体性、仲間との関係性の回復を求めてシェアリズムへ向かうだろう。

一方、テクノロジーが創り出すヴァーチャリズムの世界の進化はとどまるところを知らない。

今世紀の半ばには、世界のほとんどの人々をのみ込むことになる。ヴァーチャリズムが目指すのは、人の個性とその創造性の拡張である。

3つの世界の先にある「意識主義 vs 身体主義」

2つの新しい世界（シェアリズムとヴァーチャリズム）を基盤として、「身体主義」vs「意識主義」という新しい2つのイデオロギーの戦いが起こる（次ページの図1－3）。

急激に存在感を高めるヴァーチャリズムでは、新たに一つの思想が生まれる。それは、「私たちの本質は意識にあり、認知こそが最も重要である」という考え方である。

私たちの意識は、少なくとも4つの要素に分かれている（68ページの図1－4）。

一つは知覚（Perception：何かを捉えること）、それから視点（Perspective：捉えた事象を理解する角度や視座）、そして認知（Recognition：事象に意味を与えること）、最後に記憶（Recollection：認知が貯まって格納されたもの）。このくり返しから私たちの価値観が形成される。「意識作用こそホモ・サピエンスたる私たちの中核にあるものだ」という主張が出てくると、「身体というデバイスは棄てる」という選択肢も出てくるわけだ。

図 1-3

これから起こることの流れと結末

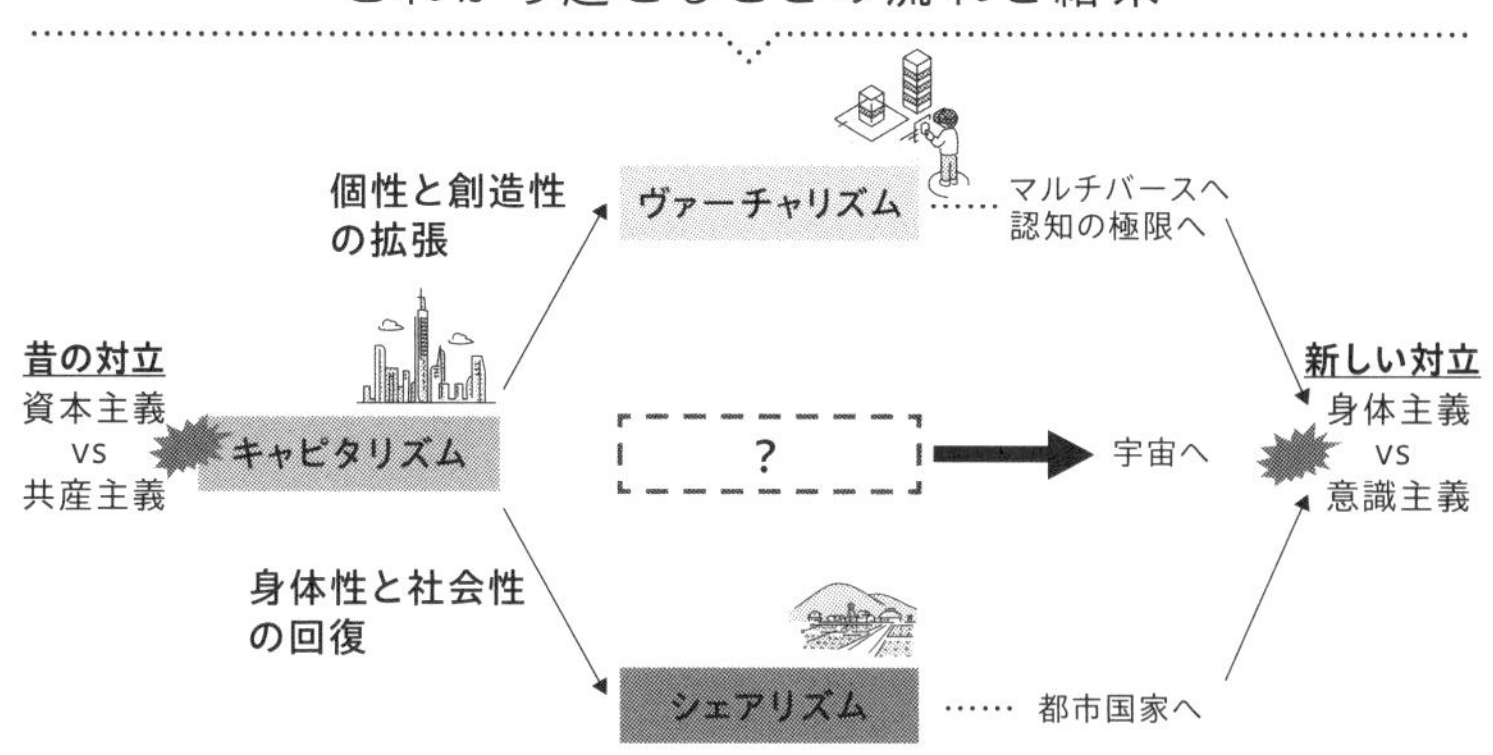

- シェアリズムとヴァーチャリズムを基盤として、「身体主義」vs「意識主義」という新しい2つのイデオロギーの戦いが起こる。資本主義と共産主義の戦いから、身体主義と意識主義の戦いへと舞台（パラダイム）が変わりつつある。
- 結末としては、ホモ・サピエンスの勝利からわかるように、意識主義が勝利を勝ち取る。人類は２１００年に意識的存在となるか死滅する。ヴァーチャリズム（メタリズム）の世界では、身体を持たない存在が参加できるようになり、そこで交流が行われるだろう。

図 1-4

意識のしくみ

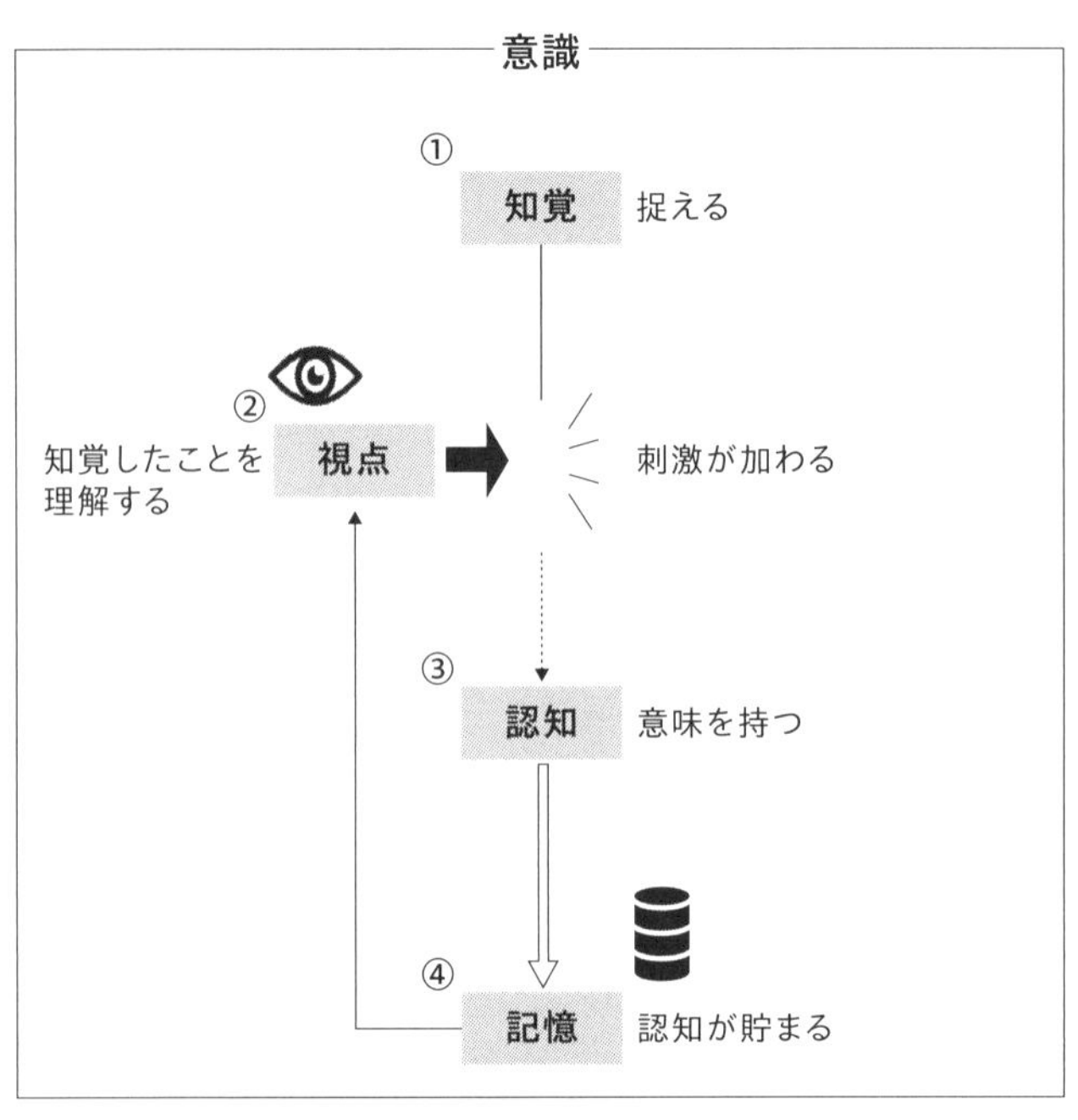

①～④をくり返すことによって価値観が形成される

一方、シェアリズムを中心とした人々は、「人間の本質は身体にあり、身体を整え、健康で朗らかな暮らしを送ることこそあるべき姿である」と唱える。

両者の主張は真っ向からぶつかり、私たちはそのいざこざに巻き込まれることになる。つまり、20世紀来の資本主義と共産主義の戦いから、21世紀には身体主義と意識主義の戦いへと舞台が変わりつつあるのだ。私たちの主体は、身体にあるのか？　意識にあるのか？　主体を巡るアイデンティティ闘争が静かに始まっている（詳しくは230ページ）。

行きすぎたジェンダーレスやSDGsへの違和感の正体

その雰囲気をすでに感じている人は読者の中にも少なからずいるだろう。人間の身体感覚や結びつきを大事にする人の中には、デジタル・ネイティブと呼ばれる若者の考え方やAI進化論、**行き過ぎたジェンダーレスやエイジレス、人権の主張に対して、言葉にはできないが、もやっとした嫌悪感や脅威を感じている人が多くいるはずだ。**

それは前提に、人間の根幹というのはそもそも生物であるという思想があるからである。

ところが、ヴァーチャリズムの世界に中心軸を移しつつある一部の人々の中には、衣食住の生命活動の本体は意識にあると考える人も増えつつある。そのような人たちはＳＤＧｓや地球温暖化問題の強すぎる掛け声にほとんど興味を示さない。

強靭な肉体を持つ男性の水泳選手がある日、自分は女性であるとカミングアウトしたとしよう。女性アスリートとして選手権に出場し、圧倒的な泳ぎで優勝する姿を見てあなたはどう思うだろうか？　身体的特性と自己認識のどちらを是として判断するだろうか？　最終的には身体的特徴を染色体ＸＸかＸＹかまで遡って決めるのか、すべてを個人の自認に委ねるのか、というところまでゆくだろう。それが人間は意識か身体か、つまり身体主義と意識主義の分かれ目となる。

現在のＡＩ技術はすでに特定個人の声質・考え方・表情やしぐさをかなりの精度で実現できる。今後は人気の男性アイドルや女性タレントも、個人の好みに応じて生成されるＡＩ彼氏・ＡＩ彼女に一定のシェアを奪われるだろう。誰も言わないが、**非婚・少子化を助長している最大要因には、このようなヴァーチャルな「人間」の生成がある。**

さらに今世紀半ばには、ロボット技術によって、立体的にも特定個人を複製することが可能となる。そうなると「人は死なない」、もしくはヴァーチャリズムの中で「永遠に生き続ける」こともできる。「身体を持たないが生きている」という状態となるだろう。私たちはこの「人間の本体は意識か身体か」という哲学的問いの間で、日々の生活を営むこととなる。

《キャピタリズム》

第1章

お金によって突き動かされる世界

本章から、いよいよ3つの世界それぞれに焦点を当ててゆく。現代日本を生きる我々にとって、最も肌感を通じて馴染み深いであろうキャピタリズムの世界から話を始めよう。その起源・仕組み・実態を理解することで、あなたが抱えてきた疑問の数々が解消されるはずだ。

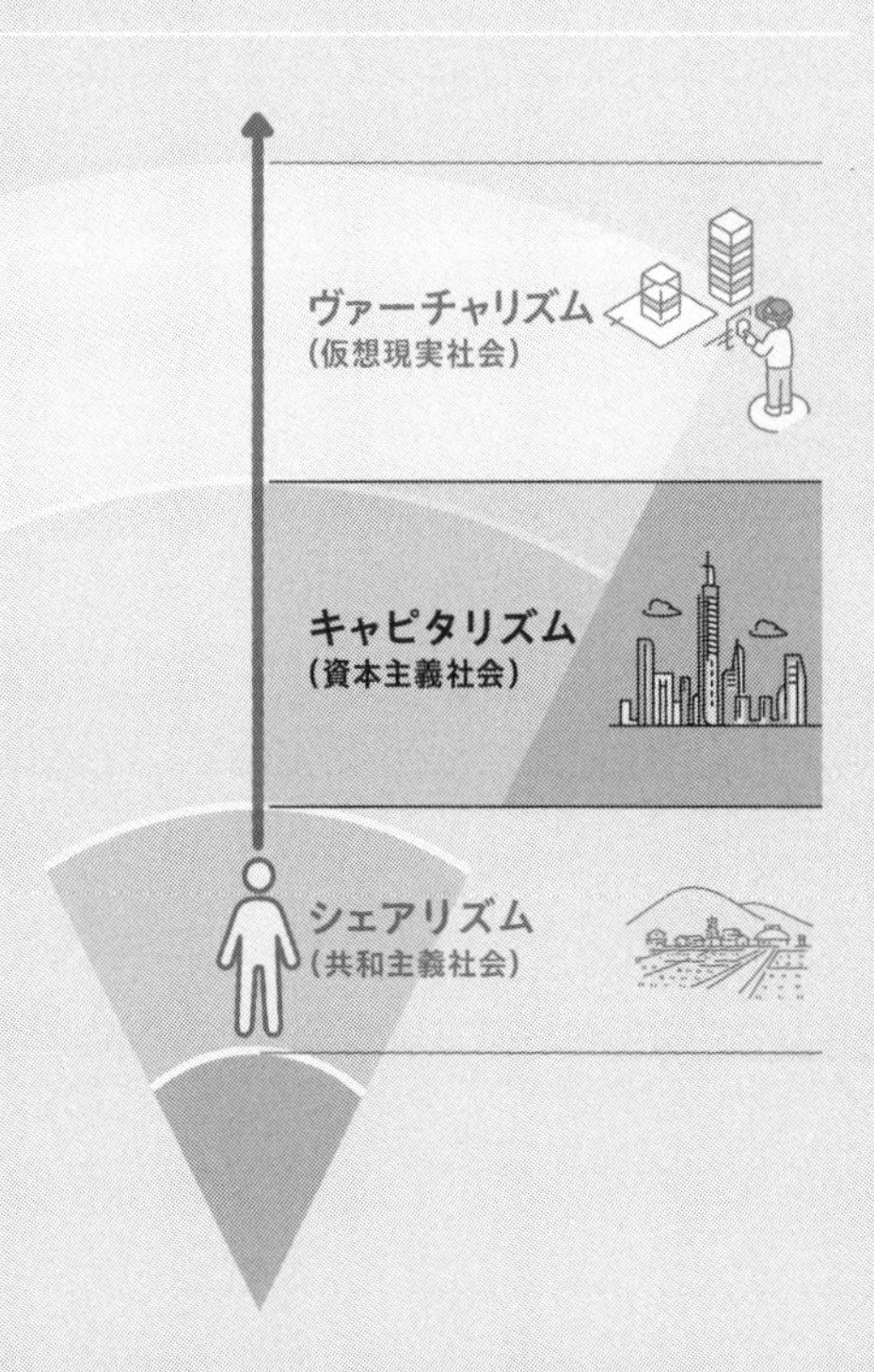

資本主義の現在地

〝第4走者〟の悲哀

まずは、日本で本格的にキャピタリズムが始動することになった地点に立ち戻り、現在までの歴史的な流れを追いながら、その基本的な仕組みを見てゆこうと思う。

1945年に焼け野原からスタートした我が国は、すでに78年の歳月が経ち、もはや労働市場には何も残されていない。ぺんぺん草一本も生えていない。わずかに残された産業社会のカスミを食って暮らし、日々を浪費するのではなく、お金のない20代までは高齢者世代にたかり、未来を見据えて構想してゆくのが正解の生き方である。

十分に成熟した社会は、資本家層と労働者層にハッキリと分かれた二重経済構造になっている。一般大衆、すなわち〝下〟のほうには何も降ってこない。政府・日銀がどんなにお金を刷ろうが、せいぜい財閥系の銀行や商社で滞ってしまっている。

お金はそれを発行する政府・日銀から都銀・大企業へ、そしてその後ようやく中小企業や庶民へシャンパンタワーのように降ってくるものだが、静かに進みゆく階級化の中で、上位階級はお金の活かし方を知らず、社会に価値を生み出す投資をしない（できない）状態が続き、だぶついたお金は株や不動産に流れ、ただ株価・地価を押し上げただけだった。


最近になってようやく直接的に巷でも聞かれるようになったことだが、私個人の肌感覚からしても、「人生は生まれと育ちで7割決まる」は正しいように思う。

マイケル・サンデルが著書『実力も運のうち　能力主義は正義か?』（早川書房）で真正面から取り扱ったように、ある人が持つ「実力」や「能力」について、それぞれの社会的背景を考慮せずに評価することはフェアではないだろう。彼はアメリカの名門大学群を表す「アイビーリーグ」の学生の3分の2あまりが所得上位20%の家庭出身者になっていると指摘する。

あくまでも個人的な感覚ではあるが、運命に対して、自身の主体的行動が与える影響は3割ほどに過ぎない。より詳しく言うなら、学歴は親の遺伝子3割と、親から与えられる文化的環境と教育投資で3割、自身の努力などは多くて4割で、普通は2～3割であろう。当然出世の可能性もそれに準ずる。

起業もそうだ。起業の成功の多くはアイデアではなく実行にかかっているが、それは調達できる資本で決まる。

お金を集められるかどうかはそれまでの人生、つまり学歴とキャリアと身を包む「品」のようなものに左右される。嘘だと思うなら昨今の上場した創業社長の経歴を見るといい。よく調べると、出自も家柄も経歴もきらびやかなことが多い。つまりサンデル教授が今さら声を大にして「実力も運のうち」と唱えるまでもなく、このことは皆が薄々気づいていた事実である。

おおかた勝負は決まっている。だから個人をそのものとして評価することも、一個人がその学歴や社会経済的な成功を偉ぶったり、逆に自分自身を卑下したりするのもバカバカしい。そのままの自分と環境を肯定して堂々と生きていくしかない。自分の状況は自分のせいではないということだ。悩むなかれ。

さて、どうしてこんなに人生の優勝劣敗が明白になっているのか、その理由は明確だ。すなわち、レースはもう後半戦であるということに尽きる。言うならば今の現役世代は、運動会のクラス対抗リレーになぞらえれば、アンカー前の第4走者である。

第二次大戦の戦後焼け野原からスタートした第1走者、バトンを引き継いだ第2走者（団塊世代）ならまだ差は大きくなかった。しかし、第3走者（団塊ジュニア世代）では、もうトップとは周回遅れの差がついている。家の資産も大きく異なっている。これからの挽回はやや厳しい。

こうして自由も可能性も閉ざされた中に生まれ、バトンを受け取った今の第4走者の悲哀はいかほどのものか。

第二次大戦は実質的に現在の先進国全体を巻き込むものだったため、この現象は日本だけに限らず、ほぼすべての先進国に共通する現象である。第4走者はつらいのだ。逆転不可能な養育環境の中で育ち、シルバーデモクラシーで政治も動かせない。世界をすでに覆い尽くした資本主義ゲームの中では倫理も法も文化も遊びもない。ただマネーを追うことから逃れる術はないと、頭と身体の両方で悟っている。戦後ならいざ知らず、今、親世代が若者に希望や夢を抱かせるのは酷というか愚かである。若者は分を守り、小さく生きるのが賢明だと心の内でわかっている。

日本の課題は少子高齢化や貧困格差ではない。**本質は階級の固定化による夢と可能性の崩壊、その結果としての活気の欠如に他ならない。**

しかし、どんな社会システムも100年は続かない。せいぜい80年である。大戦終結から80年になろうとする今、一変する環境変化（すでにコロナ禍は既存の価値観・経済を5割変えつつあるが）を見据えて第4走者も準備をしなければならない。

お金を取り巻く世界の変化：偏在、分割、逆行

近年、お金を取り巻く世界の環境が大きく変わった。キーワードは「偏在」「分割」、そして「逆行」である。それぞれ説明しよう。

偏在〜偏りすぎて破綻寸前の貨幣経済

まずは「偏在」。一般市民の収入はことごとく7割経済（売上が7割や8割に減ってなかなか戻らない状況）になったのに対し、億万長者の富はコロナ禍のわずか半年で44％増加した。

ここまで資産のありどころが偏ってしまうと、社会インフラとしても貨幣経済システムは成り立たなくなってしまう。ゲームで考えるとわかりやすいが、一人が圧倒的優位な状況では他のプレーヤーが冷めてしまう。ゲームに参加する動機づけができず、ゲームバランスが崩れて、革命放棄を誘発してしまう。本来望ましいのは「偏在」ではなく「遍在」だ。つまり**皆がやや等しくお金を持っている状態が、全体の成長を促す。**今の貨幣経済は偏り過ぎている。

分割〜社会は加速度的に階層化している

2点目は「分割」。アベノミクスから始まった異次元レベルのお金のばらまきは当然、円そ

のものの価値を薄めてしまっている。理屈では、今の100円の価値は10年前の半分くらい（50円）になっている。だが、100円で買えるものはあまり変わっていない。牛丼の値段も給料もあまり変化がない。これだけたくさんお金を作ってばらまけば、牛丼は300円から600円になっていなければならないし、給料も30万円から60万円に増えていなければならない。

しかし、そうはならない。すでに述べたように、社会は上下の二層構造になっており（分離）、刷ったお金は上の器に貯まって下には降りてこないからだ。だから**下は下でやりくりし、上に貯まったお金は澱みながら不動産や株・奢侈品など不必要なものに回される。**

お金の量が倍になり、本来なら2倍にしかならない不動産価格や株価が4倍になっているのに牛丼と給料が変わらないのは、上の層は4倍に薄まり、下の層ではお金の量が変わらないからだ。つまり、下の層にお金が降ってこない構造になっている。この信用の薄まり方（希薄化という）が上の層で異常な状態になっている。

その背景には社会の層の分離がある。下の層になるほど人数が多いので選挙では有利だ。この論理によってアメリカではトランプ大統領が生まれた。資本主義では負けるが、民主主義（多数決）では勝てる、という仕組みがあったのだ。

しかし、その流れもまたこの2年で変わった。分離された下の層が今度は「分割」されたのだ。こうなると民主主義（多数決）でも手が出ない。バイデンの勝利はその証左だ。

　この分割統治システムによって新しい階級奴隷社会が早晩生まれるだろう。加速度的に階層化される社会、その中で生き抜くためには牛丼と缶コーヒーで食ってゆけるなどと居直ってはならない。Ｚｏｏｍの遠隔会議はポーカーだ。コロナ禍の水面下、パソコンの画面に映る笑顔の下で、相手は実は別のカード（副業・ボランティア・転職）を使ってより豊かなコミュニティへの逃走を図っている。**じわじわ進む階層化コミュニティのどこに自分がいるのかがわからなければ、それはあなたがカモになっているということだ。**

逆行〜8割の貨幣が価値と逆行して進む

最後に「逆行」。実はこの2年でもっとも大きな変化は、「貨幣と価値は一致しない」ことの証明がなされたことである。たとえば「自動車の社会的費用」などである。

経済学者の宇沢弘文（うざわひろふみ）氏は30年以上前に著書『自動車の社会的費用』（岩波新書）で、こんなことを説いている。すなわち、自動車は一台あたり５００万円で売っているけれども、社会的には一台あたり１５００万円のマイナスを生み出している、と。

　このように、大抵の場合、利益とは、害を他者と社会に押しつけて生み出すものとして慣例化されており、そのことに皆が薄々気づいていたのである。

今は銀行の存在の社会悪や、逆に介護士の低い給料と高い社会価値の創造など、あらゆる仕事とビジネスの側面で、貨幣と価値が一致しないことが計算され始めている。

8割の貨幣は実は価値と「逆行」して進む。添加物、ギャンブル、無駄な作業と生産性のない上司の給料などである。これらは短期の利や快に応えても、時間軸や社会軸ではマイナス付加価値である。価値と価格の矛盾は、実は矛盾なのではなく、「そもそも貨幣は社会価値に『逆行』しているのではないか？」と私たちは考え始めている。

そうなると価値を出してお金をもらうという大前提が成り立たなくなるので、頭が混乱するだろう。それでもお金はある程度必要で、貨幣経済は淡々と回り続ける。我々はお金に縛られ続ける。「稼ぐ（搾取。マイナス価値）」という行為と「仕事（貢献。プラス価値）」をくり返しながら……。

では、なぜこんなことになったのだろうか？

一体、私たちはどのようにお金とつき合ってゆけばいいのだろうか。

ここから資本主義の仕組みについて少しだけ語ろうと思う。

資本主義の仕組みとは

金で金を増やし、金で返す経済システム

イタリアのジェノヴァ生まれの青年コロンブスはアメリカ大陸に到達したが、その後の大航海時代の開始が、現代資本主義の発展の出発点にあたる。

コロンブスはスペイン王室から資金援助を受け、新大陸を発見するための航海を行った。彼の航海は新しい貿易ルートの開拓や、新しい土地の征服、そしてスペインの富の増加をもたらした。その結果、スペインは新大陸から富を集めることができるようになり、その後のヨーロッパの資本主義の発展に大きく貢献した。こうして資本主義が発明されてから600年をかけて、人類は世界の表面を〝焼き尽くす〟に至った。

これまでの世界では、身体に労働的負荷がかかることや、モノを運ぶことの重さとの闘いとなる。やや込み入った話に思えるかもしれないが、簡単に説明してみよう。

資本主義で生成されるものは基本的にモノ（物質）を前提とする。そのため、経済も古典力学のエネルギー保存の法則に基づいて遂行されている。つまり、どうエネルギーを創り出し、どうモノを製造・輸送するかが考え方の基本となっているのだ。

より多くのエネルギーを調達し、集約し、投下し、大量に製造し、世界中に流通させること。そして得た利益というエネルギーを再投資しさらに拡張させること。それがニュートンの古典力学に則った経済システムであり、資本主義の基本思想である。

まずエネルギーが高いところから低いところへ流れるのと同じく、高いところにエネルギーを運ぶための王の権威や権力が重要となった。権威や権力とは要するに、位置エネルギーである。権威によって調達され、お金という単一指標で集約されたエネルギーは一気に世界に投下され、世界中を駆け巡ってきた。古典力学において、摩擦・位置エネルギーを含めるとエネルギーは全体として保存されるという法則があるように、これらのエネルギーは土地や化石燃料や自然や気候や動植物であるモノを変形させたものであり、今その影響としてはとくに、環境問題としてはね返ってきている。**資本主義は基本的に金で金を増やし、金で返す「行ってこい」の関係であり、わかりやすくその影響が未来にはね返ってくるのだ。**

一方、これから生まれるヴァーチャリズムやシェアリズムでは、異なる経済システムを中核に据えることになる。

たとえば、**ヴァーチャリズムにおいては、アテンションエコノミー、つまり人々の注目・認知・信用を集めたものに資源が集結する。**それは油田や鉄鋼のような物量を伴わず、憧れや共感といった人間心理から発生するものである（詳しくは154ページで解説）。

ヴァーチャリズムでは、大衆の意識の動きが経済システムの基盤にある。そのエネルギーの動きを見てみると、古典力学というより、アインシュタイン以降の相対性理論で表されるように、強い重力に引かれて時空の歪みが発生するような姿を見せる。一人の強い個性やカリスマの付近を人々が周回しているようなネットワーク型の形状を見せる。

シェアリズムの世界では、人間的つながりや土地の記憶、文脈を資本（数字）で分断しないことを重視するため、そもそも資本や貨幣を使わず、贈与やツケ（記帳）、時間や独自通貨などの新しい経済システムが中心となる。それはなめらかな波の形を取りながらも時に粒子の姿に変わる、まるで量子場のような動きを見せる。もちろんこのような表現は厳密とは言えないが、3つの各世界の経済システムが物理学の言葉で表現される様相を呈するのは興味深い。

資本主義の基本原理はトップダウン

権威と権力が握手をしたのは、はじめて中央銀行が設立された頃である。17世紀の終わりには、ヨーロッパ国内でもともと取引を行っていた商人が集まり、国際金融ネットワークができていた。信用できるクラブで、お互いの信用を元にした私的取引の貸借ができるようになってきていたのだ。しかしこのままでは、取引できる人々やその範囲が限定されてしまう。困った商人がより大きな取引を行うためには、王様と手を結ぶしかなかった。

こうして王様の権威と商人の信用の両陣営が手を組み、1696年にできたのが、イングランド銀行という中央銀行であった。

以降、権威が上から下に序列化されたタテ社会においては、資源を吸い上げ、上からシャワーのように降らすことに長けたシステムが構築されてきた（次ページ上の図1－5）。キャピタリズムが提供するのは、生活に必要なコモディティ（匿名の製品・サービス。たとえばカネ／票／エネルギー）である。人々が飢えに悩まされてきた時代にはこれが便利だった。

資本主義の基本原理はトップダウンである。下から吸い上げた税金を上から降らせる。最初

図 1-5

タテ社会のロジック

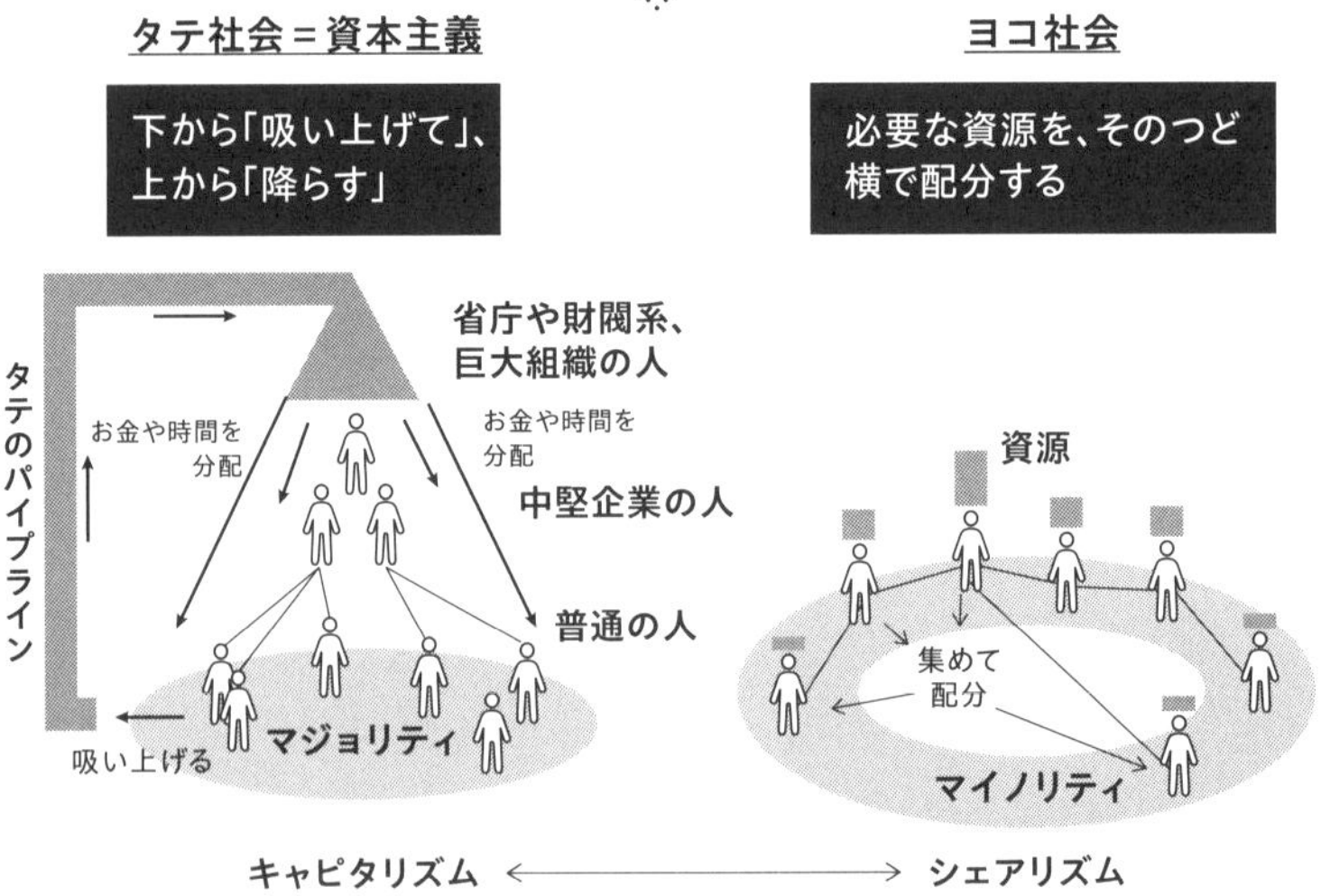

タテ社会＝資本主義
下から「吸い上げて」、
上から「降らす」
ヨコ社会
必要な資源を、そのつど
横で配分する
省庁や財閥系、
巨大組織の人
タテのパイプライン
お金や時間を
分配
お金や時間を
分配
中堅企業の人
普通の人
吸い上げる
マジョリティ
資源
集めて
配分
マイノリティ
キャピタリズム
シェアリズム

図 1-6

お金は人類最強の言語

広さ（使える対象、使う人の数）
お金
数字 ←汎用性が高い社会の共通言語
言葉
ボディ・
ランゲージ
価値観・
文化
個人
深さ（文脈、背景）

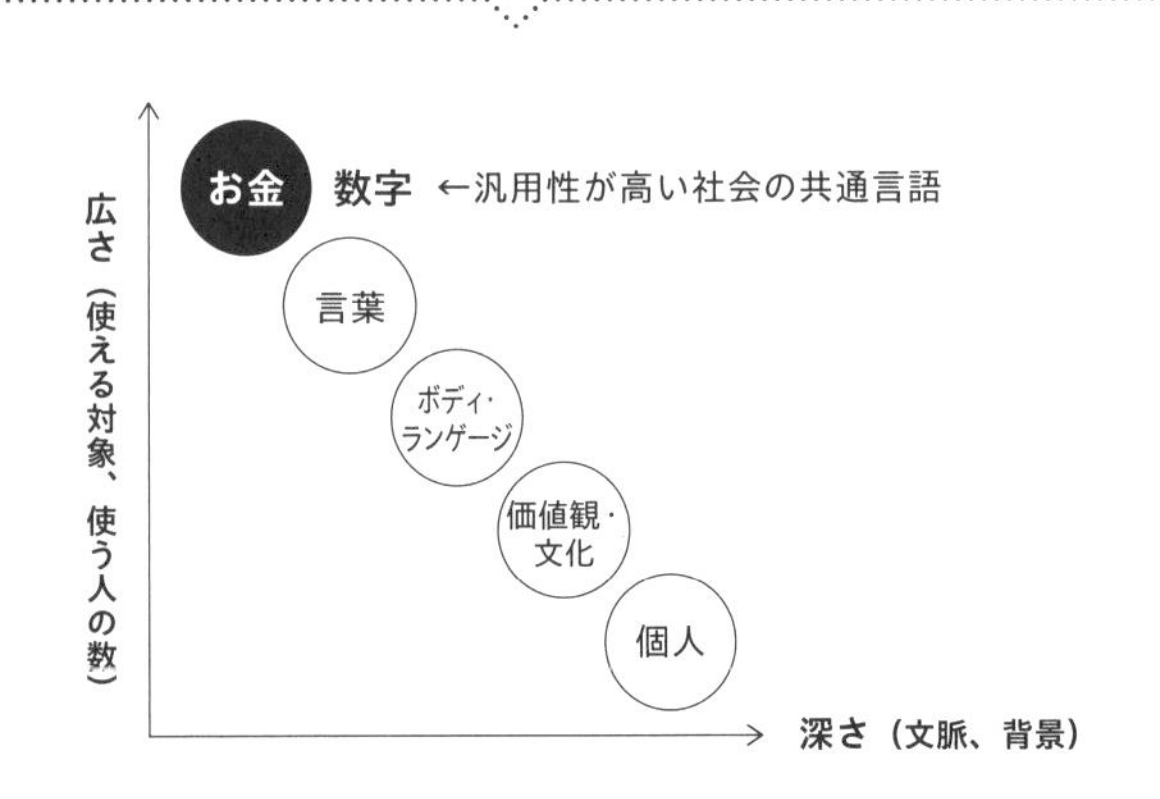

は省庁、財閥系、次に中堅企業、最後に庶民である。この上意下達のシステムは見えない階級があった時代に成立していたものだが、現在はマイノリティ（少数派）の増加によって、機能不全に陥っている。

資本主義で人が幸福になることはなかった。幸福の本質は一体性であり、資本主義の本質は分断にあるからである。つまり、一般大衆が物質的に豊かになれば、上はさらに豊かになっているのであり、その精神的距離は広がるだけである。**幸福にとって大事なのは、モノの「量」や水準を上げることではなく、その差を縮めることにしかない。**

お金は人類最強の言語

資本主義が世界を制した理由は単純である。資本主義での価値は貨幣、つまりお金を使うという前提があり、お金という数字の一点でコミュニケーションを図ることができるからだ。**数字としてのお金は、人類最強の言語なのだ**（前ページ下の図1‐6）。

一方、共産主義で用いられていたのは人間の倫理道徳・文化文脈といった価値観だった。国や民族で異なる「言語」をコミュニケーションの中心に据えたのでは、世界をつなぐことはできなかったのだ。

資本主義の弊害

労働者はいつまでも裕福になれない

2013年、フランスの経済学者トマ・ピケティは『21世紀の資本』（みすず書房）において、18世紀まで遡って現在までの税務データを分析した結果、「r（資本収益率）」が年に5％程度であるにもかかわらず、「g（経済成長率）」は1～2％程度しかなかったと指摘した。有名な不等式「r＞g」が成り立つのがこの世界だと証明された。

マルクスが指摘し、皆がうすうすはわかっていた、または確信していた不都合な事実。つまり資産（資本）、あるいは資産運用により得られる富は、労働によって得られる富よりも成長が速いことが明らかになったのだ。言い換えれば、**裕福な人はより裕福になり、労働でしか富を得られない人は相対的にいつまでも裕福になれない**という残酷な真実である。

貨幣ががっちり管理されるのはなぜか？

貨幣の仕組みについても確認しておこう。実はその構造は単純である。まず信用の土台があり、信用できる組織に基づいて発行されたものが貨幣である。つまり、**信用が担保できて、かつ流通させられるのであれば、誰でも貨幣を発行できる可能性がある。**もちろん、法的な枠組みの制限はある。今注目が集まっている暗号通貨や地域通貨、あるいはクラウドファンディングなどの様々な方法によって貨幣発行の萌芽が見られるが、基本的には管理されてしまう。

貨幣の管理・発行権のことを経済用語で「シニョリッジ」と呼ぶ。各国にいわゆるＦＲＢという中央銀行の制度があるが、日本では日本銀行と民間の会社が日本銀行を上場させて、政府が半分、残りを民間が株主として持っている。

なぜ日本では積極的に金融教育・英語教育を行わないのか。それは、やや陰謀論のように聞こえるかもしれないが、貨幣の発行の仕組みや税制について国民が詳しく知ることで、政府が税金を取りづらくなったり、人が国外に流出したりすることを危惧しているからだ。

これは何も日本に限った話ではなく、とりわけ人口が少ない島国においては同じで、言語やファイナンスを国として教育することに消極的なのにはこうした背景がある。

つまり、**自分で学ぶしか他に方法がない。**

資本主義はやがて民主主義をのみ込む

貨幣を媒介として分業があらゆる領域で限りなく進むことで、すべての人にとって「自分でやるべきこと」はどんどん少なくなってゆく。超資本主義社会では、「お金があれば何でも買える」といった言説の真実味が増していく。

とはいえ、貨幣にも限界があり、最後まで他者には任せられない部分（人間性）も残るはずである。「お金で買える／買えない」の境目を、人はしばしば「倫理」と呼ぶ。

資本主義の本質は資本集約であり、それは帝政と同様、創造と変革のエネルギーを持つが、破壊と共に柔軟性を失わせる刃にもなる。資本主義が良いとか良くないといったことは無駄な議論であり、それは帝政と民主制のどちらがいいのかと問うほど無価値なことである。

ただ言えることは、人が倫理を忘れてしまうとき、資本集約（資本主義）はやがて民主主義をのみ込むということだ。人は資本にあらがえない。人々の投票の方向性も、お金への欲望によって左右されてしまう。

概念としての「民主主義」と「資本主義」について、それぞれ改めて考えてみよう。

民主主義は社会が投票によって運営されることを指す。一方、資本主義ではお金が投票権になる。昔の日本は資本主義よりも民主主義の度合いが強く、社会がお金で動いた印象が薄い。たとえば、１９７０年代から１９８０年代は様々なタイプの人があらゆる政党を作り、自民党はバランスのとれた形で成り立っていた。社会保障も含めて、中産階級を育ててきた。

しかし、今や中産階級は崩壊し、我が国は上流層と下層に完全に二分された。具体的には、政治家や資産家などの上流層と、パートやアルバイトなどに代表される非正規雇用の就業者である（参考までに、非正規雇用の就業者数は、総務省が２０２３年12月に発表した労働力調査では、10月時点で２１２７万人だった他、非正規雇用は３分の２が女性で、平均給与は正社員の３分の１とされる）。

海外に目を向けてみるとどうか。アメリカの場合、ロビイストの暗躍によって票はお金で買うものになっており、結局、民主主義は資本主義そのものになっている。逆に中国の場合は最初から民主主義の度合いが低く、言論統制が強い。共産党の独占体制の中で、一気に富を集中・独占するスタイルは、爆発力はあるものの、安定感がない。

それでも、仕組みとしての民主主義は社会に安定感をもたらす。人類がこれほど長きにわたって生き延びている理由は他でもなく、みんな違う顔をしているからである。違う顔とは、色んな考え方や個性のこと。それに加えて社会性もあわせ持っている。バッタやセミがすぐに死んでしまうのは、対照的にみんな同じ顔で同じスペックだからである。つまり、みんなが同じ顔をしていると、一瞬の爆発力を持ち得ても安定感はない。**重要なのは、爆発力と安定感の両方を兼ね備えたバランスであり、民主主義と資本主義の共存自体に問題があるわけではない。**

ソ連はロシアになってから資本主義化が進んで民主化もしたが、現在では独裁が強まっている（次ページの図1－7）。

私たちは「民主主義を大事にしよう」と謳ってきたものの、今はまったく機能していない。フィリピンのドゥテルテ元大統領や、アメリカのトランプ元大統領に代表される独裁政権が生まれ、子どもだましの二流ドラマのような茶番政治をしてきたことも、ポピュリズムの結果に他ならない。

階層が固定化してくると、それぞれの民衆が物事を考えなくなる。すると、みんなが票を持っていても、票に大した力がない状況になってしまう。結果、「誰かに任せたほうがいいのではないか」となり、独裁や貴族制が進む。やがて、資本が民主主義をのみ込んでしまうのだ。

こうしたパターンは紀元前のローマ時代から変わらない。ローマでは最初に共和制があり、帝政と共和制が交互に入れ替わってきた。その変遷の歴史を現代に当てはめても、人間社会は独裁と民主制の入れ替えをずっとくり返してきたのがわかる。今、民主主義が抱える危機は、行きすぎた資本主義によって、投票を含めたすべてが資本を通じて買えてしまうことにある。

図 1-7

資本主義と民主主義の度合い

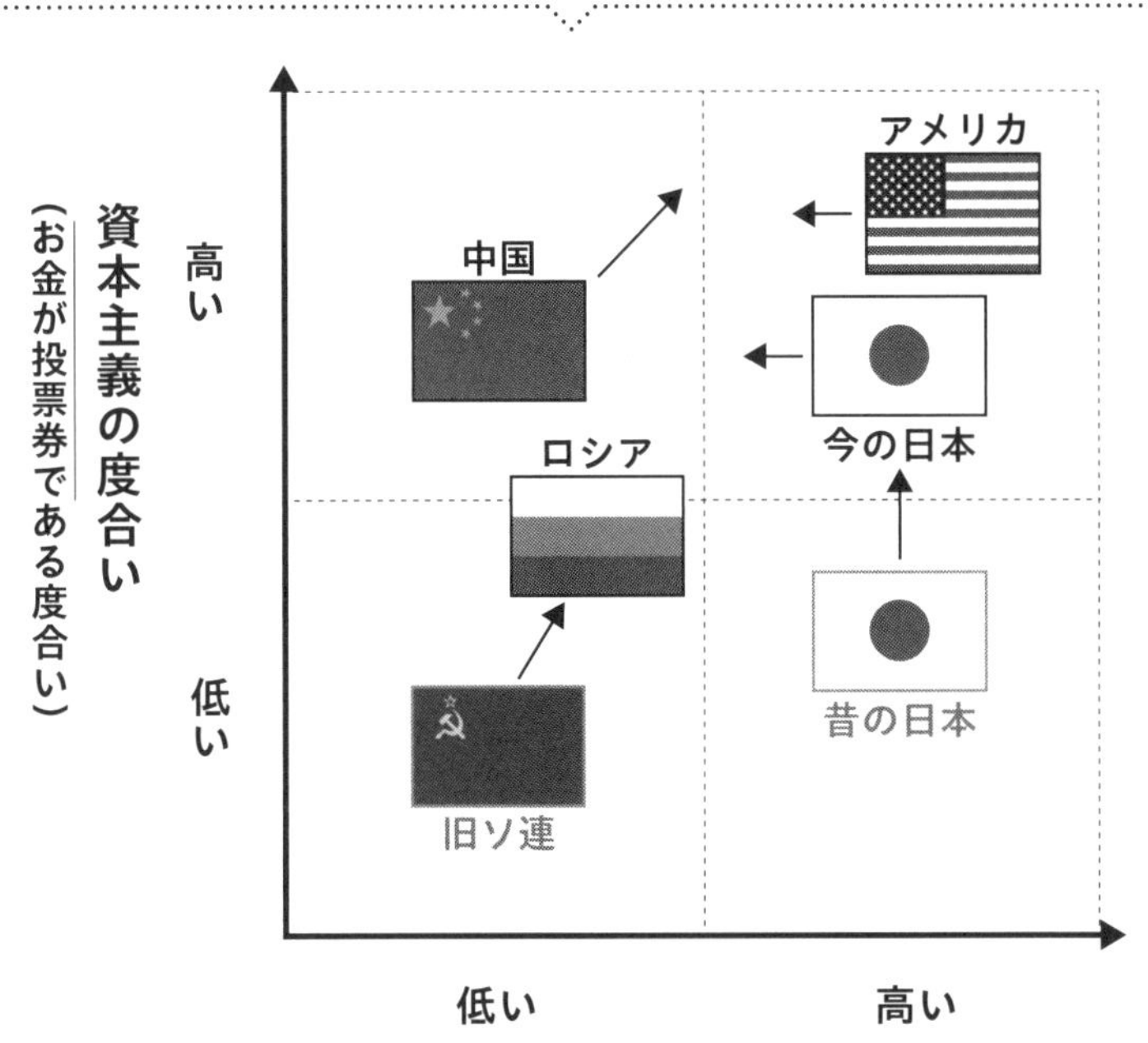

※図表内の矢印は、時代によってその国の民主主義や資本主義の度合いが変化していることを表す。

金融経済は実体経済を置き去りにする

お金をばらまいても経済が盛り上がらないのはなぜか？

お金が膨大に発行されることで、たくさんの弊害も生じた。

経済は「**金融経済**」と「**実体経済**」の2つに分かれる。

私たちが魚屋さんで魚を買ったり、お店で牛丼を食べたりする世界は実体経済に区分される。対して金融経済は、お金自体を増やしたり、それをくっつけたりふくらませたりする経済のことで、具体的にはデリバティブなどのレバレッジ商品を指す（デリバティブとは株式、債券、為替などの金融商品から派生した先物取引、オプション取引、スワップ取引の総称であり、レバレッジ商品とは、東証株価指数などの原指標の変動率に一定の倍数を乗じて算出される「レバレッジ型指標」に連動する商品のことである）。

お金を借りたら当然、利子や配当を払わなければならない。普通に暮らしていると実体経済にしか目が向かないが、実体経済は金融経済とつながっている。金融経済が膨張すれば、実体

図 1-8

金融経済と実体経済

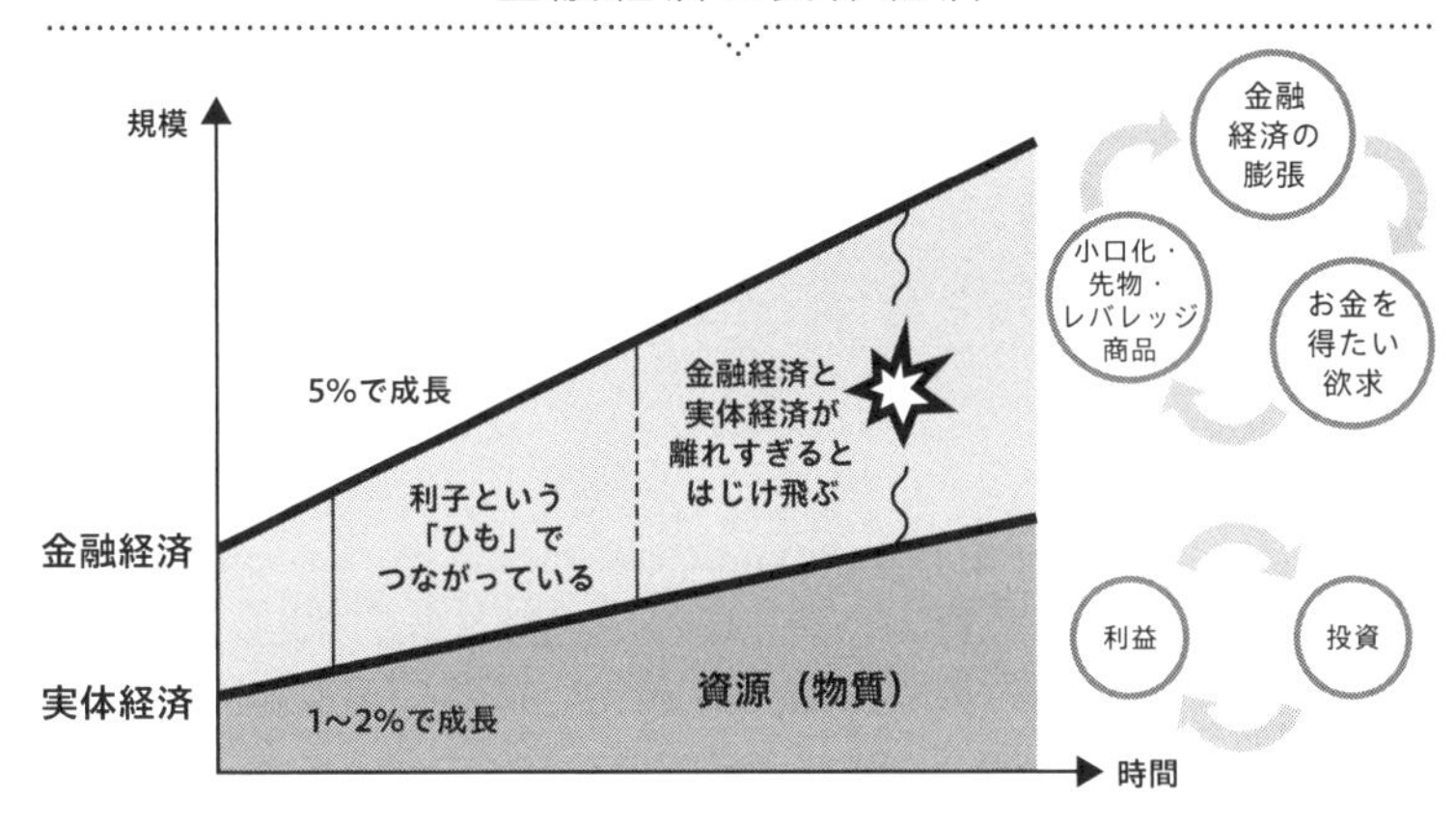

・金融経済と実体経済は利子でつながっているので、金融経済が膨張すれば地球資源も破綻してゆく。
・金融と実体の乖離が一定まで達するとはじけ飛び、実体経済に影響した（サブプライムはもともと30兆円だが、金融商品として300兆円まで膨張して破裂）。マネーの膨張により、金融恐慌が起こる間隔もこれからますます短くなる。

経済も活動の活発化を迫られる（前ページの図1－8）。

しかし、お金を刷って金融経済がいくら膨張しても、実体経済の側で増えているわけではない。両者の間の乖離はますます広がり、いつかクラッシュ（財政破綻）することが目に見えている。

実体経済と金融経済の差は長い間1・4倍程度で推移していたものの、リーマン・ショック前の2006年には約3倍に広がった。ここまで実体経済と金融経済の乖離が広がると、クラッシュは不可避になる。

安倍元首相も黒田元日銀総裁も、実体経済を回すべくお金を刷った。しかし結局、実体経済の側でお金が増えることはなく、経済は破綻しようとしている。

少子化対策金が意味をなさない根本的理由

なぜ実体経済の側でもお金が増えなかったのか。多くの経済学者が考えたが、理由は単純である。**いくらお金を刷っても、都市銀行などをはじめとする社会の上の階層は悲観的なためお金を流すことをせず、結果的に滞留し、国民のいる下のほうまで流れていかなかったから**だ。

本来、産業の革新やイノベーションは階層の下側や端っこから生じる。つまり、社会階層の上側に位置する霞が関から産業が生まれるわけではないのだ。

では、社会階層の下側へ直接お金をばらまけばいいのだろうか。話はそう簡単ではない。下のほうは砂漠のように乾いており、ばらまかれたお金を吸収してしまう。お金が新たな富に変換される生産活動に回らず、単なる消費活動か貯金で終わってしまうのだ。その意味で現在、岸田政権が進めようとしている少子化対策金（出産育児一時金の増額など）も意味をなさない。

本来重要なのは、社会階層の上から下へバケツリレーのようにお金が適切に流れつつ、それが消費ではなく、生産や創造活動に使われてゆく新たな仕組みを作ることだ。

こうした構造を無視してお金を刷ったことが円安にもつながっている。結果、損を被るのは国民に他ならない。次ページの図1－9は、実体経済と金融経済の乖離が20年で約6・8倍に膨らんでいることを表している。ここまで差が開くと、破綻は近いと言わざるを得ないだろう。

コロナは多くの悲劇をもたらしたが、社会にとっては一つの福音となった。それは、補助金・助成金の形で、下層に対して資金が直接供給されることになったからである。

タテ社会のロジックでは、お金を中心とするエネルギーはシャンパンタワーの上層部で堰き止められてしまい、下に降りてくることはない。しかし皮肉にも、コロナウイルスによって奪

図 1-9
10年で14倍に広がった実体経済と金融経済の差

2003年の実体経済と金融経済の差約5倍に対し、2023年は約6.8倍だった

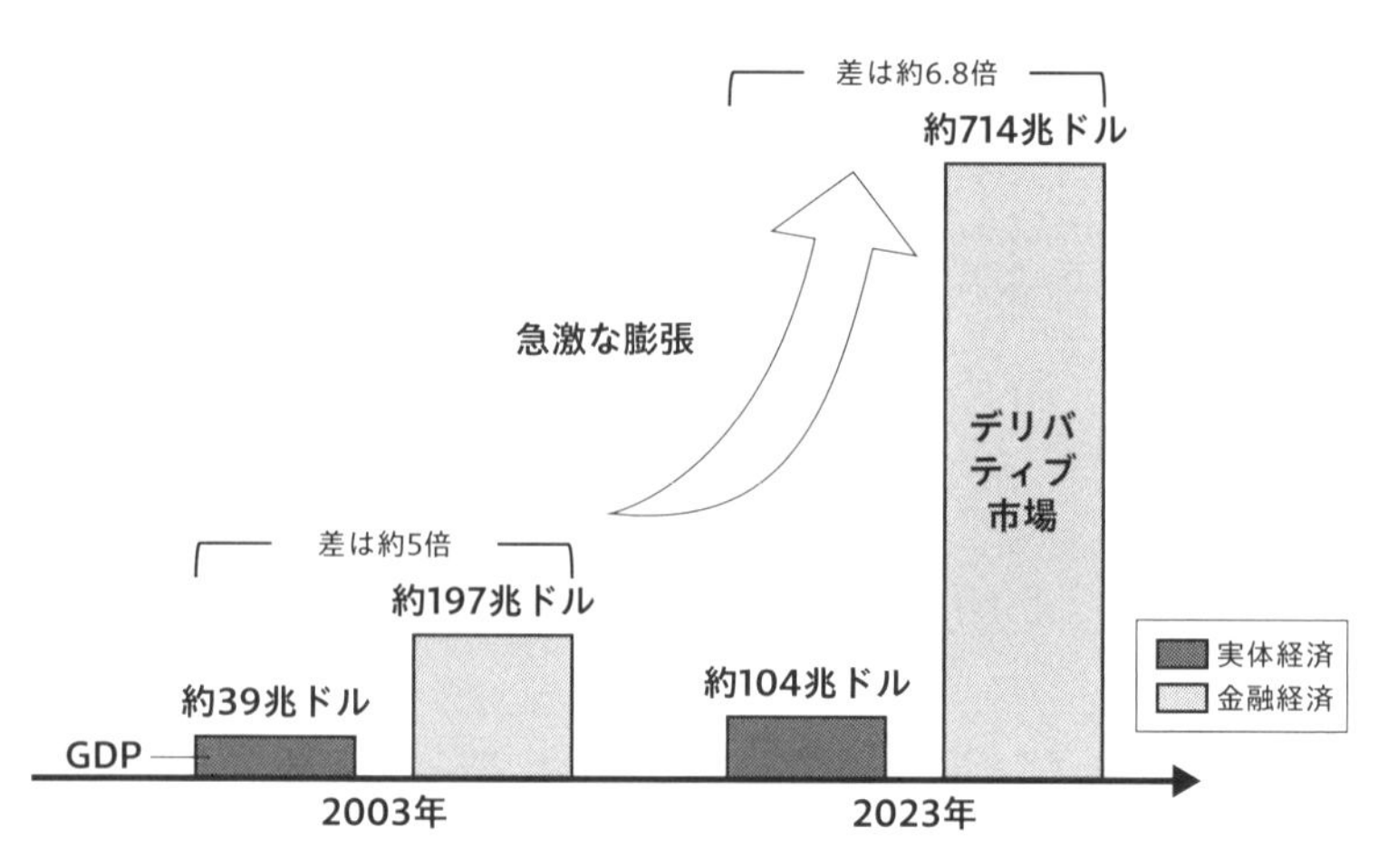

出所：IMF - World Economic Outlook Databases (2023年10月版),
BIS - Global OTC derivatieve market (2023年10月版)より作成。
実体経済における「GDP」の値として、2003年および2023年Gross domestic product, current pricesを使用。金融経済における「デリバティブ市場」の値として、全世界の国債残高（national amounts outstanding）を使用した。
2003年においては2023-S2、2023年においては2023-S1の値を使用している。

われる生命と引き換えに、弱者救済という形で下層部にお金が流れることになり、経済的に一命をとり止めた人々がいるのも事実である。

蛇足になるかもしれないが、前ページにある図1－9のような兆円単位のグラフを見せられたところで、自分の生活とは関係ないとは思わないでほしい。大きくものを見ることで、小さな自分をうまくコントロールできるのだ。

本質をつかむために全体を俯瞰するのは重要だ。

たとえば、自分の貯金が300万円あるとしよう。そのお金を増やすためにNISAを始めるかもしれない。だがそのNISAの資産の行く末を決めるのは、世界全体の実体経済である。それは、地球の経済と自分の資産は相似形になっているからだ。**マクロに地球規模で物事のありようを見ながら、ミクロな自分の範囲で実行に移すことが大切だ。**

結局、自分が幸せであるためにも、周りも幸せでなくてはならない。自分だけ金持ちになっても孤独なだけだ。社会が豊かだから、自分も豊かになれる。全体を見つめて歪みを把握する。こうした見方を身につけてはじめて本質がわかる。自分の知識がすべてであるわけがない。哲学＝philosophy の〝philo〟は「(知を) 愛すること」を意味する。自分が知らないことまで含めて愛する視点は、ソクラテスが説く「無知の知」にも通じる。**知らないことを知っている状態は謙虚さをもたらし、賢明な判断の土台になる。**

「収入は階級によって決まる」理不尽な現実

職業の社会的価値と年収は乖離している

前項では金融経済と実体経済の乖離について述べたが、よりミクロな職業レベルにも、理不尽だと思える反直観的な事実がある。

次ページの図1－10は、世界中で話題となった『ブルシット・ジョブ』（岩波書店）でも取り上げられた、社会的価値と年収の乖離を示したチャートだ。

社会的価値には2つある。一つは、GDP／税貢献などの経済的価値、もう一つは社会を支えているもの（教育、健康、子ども、可能性）を創造している。

この社会的価値の算出方法だが、病院の清掃員の社会的価値は院内感染の防止等に、保育士は、保育園に子を預ける親が就労で収入を得ることによる価値及び雇用創出による価値の合算によって算出される。保育士の場合、1人あたり平均5人の子を担当し、1名の保育により親1人分の平均年収を稼げると仮定している。兄弟がいる場合の影響や保育設備による価値貢献

図 1-10

年収と社会的価値には相関がない

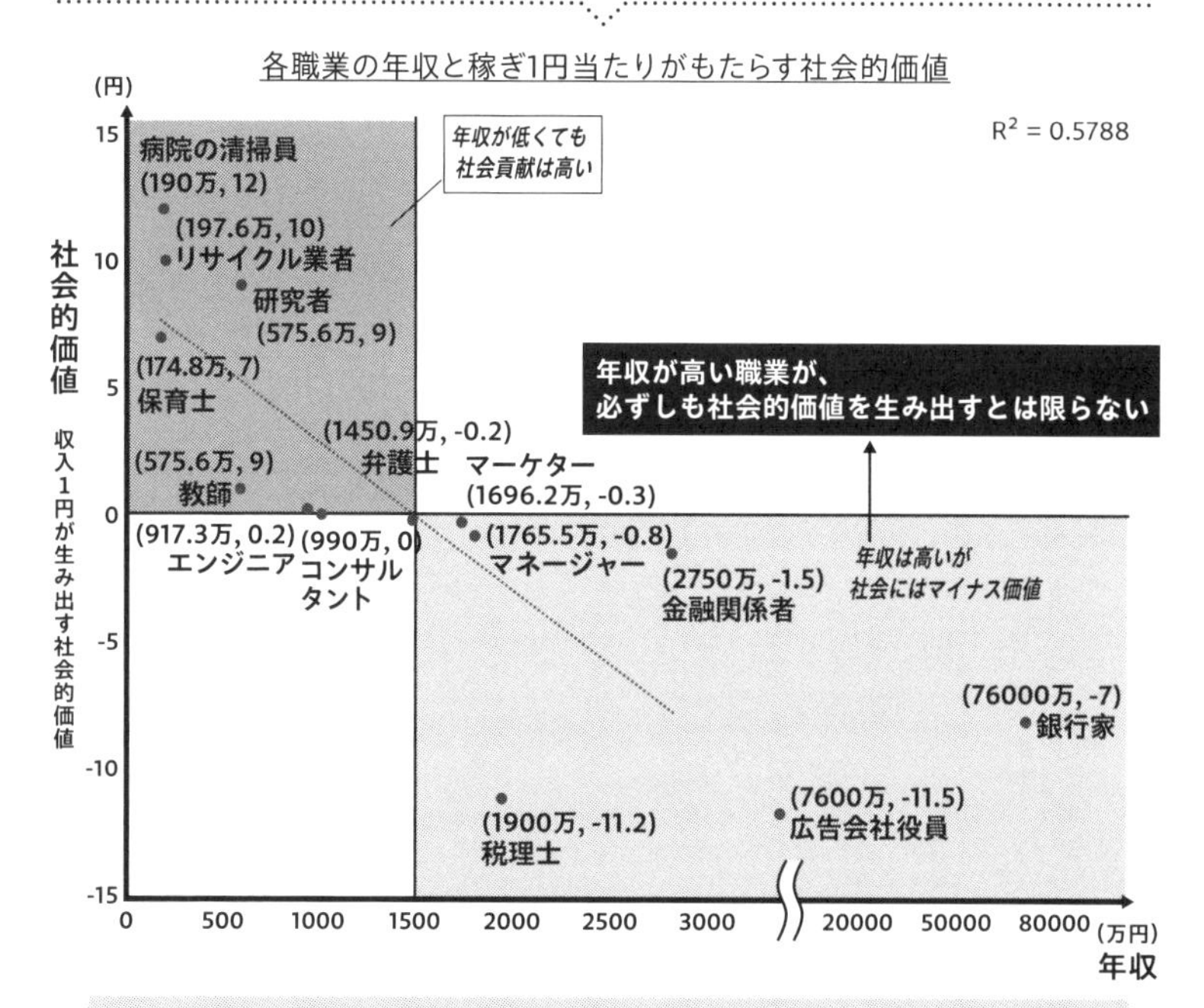

※社会的価値には２つある。
１）GDP／税貢献などの経済的価値
２）社会を支えているもの（教育、健康、子ども、可能性）の創造

社会的価値の算出例
・病院の清掃員……滅菌により医療現場で救える命の人数等を用いて算出した
・保育士……１人あたり５人を保育することで親が得られる労働収入を算出した

出所：「リサイクル業者、病院の清掃員、保育士、税理士、広告会社役員、銀行家」は New Economic Foundation「A Bit Rich: Calculating the real value to society of different professions」「研究者、教師、エンジニア、コンサルタント、弁護士、マーケター、マネージャー、金融関係者」は Journal of Political Economy「Taxation and the Allocation of Talent」よりブルー・マーリン・パートナーズが作成

の影響を差し引くと、保育士1人が生み出す価値は日本円で年間約1450万円相当とされ、雇用創造による価値貢献として彼らの受け取る平均給与230万円相当を計算に加えると総価値は1700万円相当になる。つまり賃金1円に対し、保育士は7・2円以上の価値を生み出していると考えられる。※金額は2024年1月12日現在の為替1ポンド＝185円で計算。

収入はトラック（階級・自分が走っているレーン）によって決まっている。社会への価値創出では決まらない。金銭収入と社会価値が連動しないという前提は、やがて貨幣経済の根幹を揺るがすことになる。

図1－10の横軸が年収を、縦軸が社会的価値を表す。たとえば、保育士は1円稼ぐごとに、本当はその7倍の価値を社会に創出している。

一目でわかるように、年収の高さは社会的価値に比例していない。チャートで示される職業の幅がやや偏ってはいるが、注目したいのは、**「エッセンシャルワーカー」と呼ばれる職種に従事している人のほとんどが、高い社会的価値に見合った報酬を得られていない**ことだ。

一方、グラフの右側に位置する職業に就いている人は高い報酬を得ているものの、彼らが働けば働くほど、社会的価値は毀損されてしまっている。年収の高い仕事が本当に社会的価値を生み出しているのか、むしろ搾取しているのではないかと批判的に考える理由がここにある。

金持ちには嫌われるべき理由がある

このような状況から、「金持ちを毛嫌いすることは間違いだ」と主張する金持ちがいるが、間違っている。金持ちになった人は、「自分が金持ちになった本当の理由は、必死に努力し、他の人以上に社会貢献した結果ではなく、金持ちになるルートと土俵で仕事をしたからだ」と心の底では思っているはずである。この世界、誰もがそれぞれの場所で努力しているものだ。金持ちと貧乏人は走っているトラックが違う。もっと言えば、そもそも行っている競技が違うのだ。社会貢献度合いなんて大差ない。だから金持ちが偉いなんてちっとも思わなくてよい。にもかかわらず、金持ちは貧乏人に比べて、消費の機会と自由度に圧倒的な違いがある。その点に問題が出てくる。金持ちが毛嫌いされるのはその稼ぎではなく、消費の不公平によるものである。**人は金持ちが嫌いなのではなく、金持ちの「金の使い方」を嫌うのである。**

「労働奴隷」から抜け出す人たちの出現

残念ながら、キャピタリズムにおける労働者の奴隷化は今後も止まる見込みがない。

たとえば現代における資源のほとんどは人件費である。人件費比率が圧倒的な割合を占めている。やがて、その労働者の時間を預かって販売する時間卸売り業者が現れるだろう。企業は労働者を直接雇わずその時間を、業者を通じて買う。それは現在では派遣会社が行っているが、今後、より大規模に行われるだろう。人々の時間を集めて販売する「時間長者」が現れる日はそう遠くない。

現在の人口の半分は会社に属する労働奴隷であるが、わずかながらそこから抜け出そうとする人たちが出てきている。インディペンデントコントラクター（ＩＣ）の存在である。彼らは自分たちで会社を創り、株を発行し、上場させるほど規模を追うことはないだろう。しかし、企業から案件を受託し、それを納品して収入を得るというやり方にとどまることもない。

近い将来、**まず自分の時間を株式のような形で発行し、あらかじめ収益を確保し、その株（のようなもの）を買った人に対して労働時間を提供する形になるだろう。前払いかつオークション形式で、これまでの実績と信用に基づく労働収益を確保するようになる**のである。

このようにしてＡＩやロボティクスを作る側の人間や、一部のアーティストやアスリートなどの「特Ａランク」に値する人材は、資本主義世界においてもある程度の頭角を現すことになるだろう。

キャピタリズムにおける投資ファンドの存在

投資ファンドは価値を生み出さない

株価は本当にその会社の価値を表しているのかどうかも疑ってみたほうがいい。株価は変動するが、表面的で狭い見方だけでは本来の企業価値を推し量ることは難しい。

会社は目には見えない文化や価値観を醸成しながら、人間関係や技術を通じて価値を作ってゆく。ところが、投資ファンドはなるべく短い期間で株価を上げたい。過剰なまでに短期的な利益に固執するため、往々にして長期的な価値観を毀損する動きをしてしまう（次ページ上の図1－11）。たとえば、短期的な利益を生むため、急に原材料の取引業者を代えてコストを下げたり、研究・開発を止めたりする。会計的手法で利益を〝化粧〟することもある。こうして会社は潰されてしまう。

資本でやりとりするマーケットは、短期的な欲望を動機として動く。つまり、**転売によるカネ目当てとなる。**転売可能性にもっとも近い株価を基軸に考えるため、その対象（会社）の価

図 1-11

投資ファンドとそれ以外の時間軸の違い

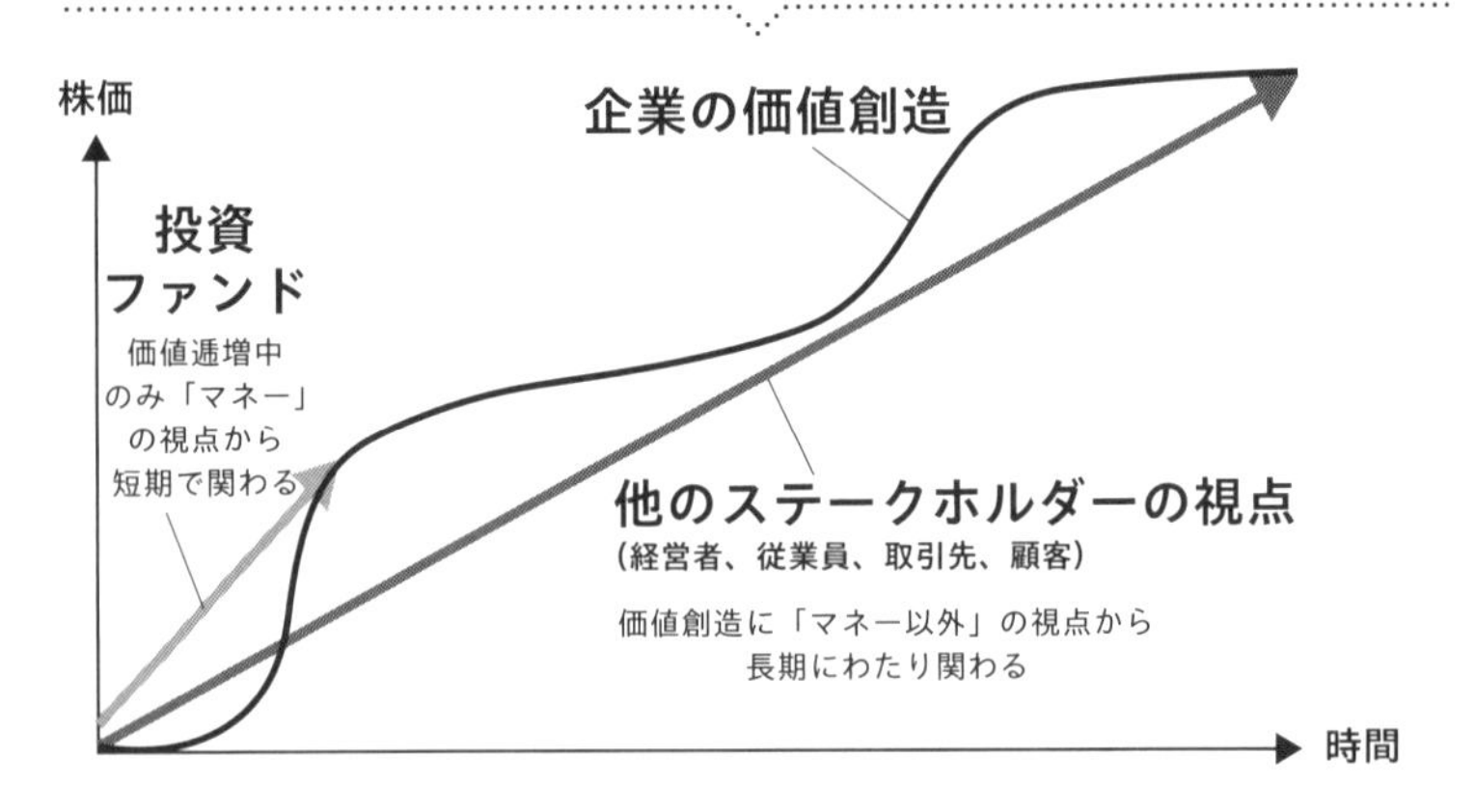

図 1-12

物事が価値を生むまでの流れ

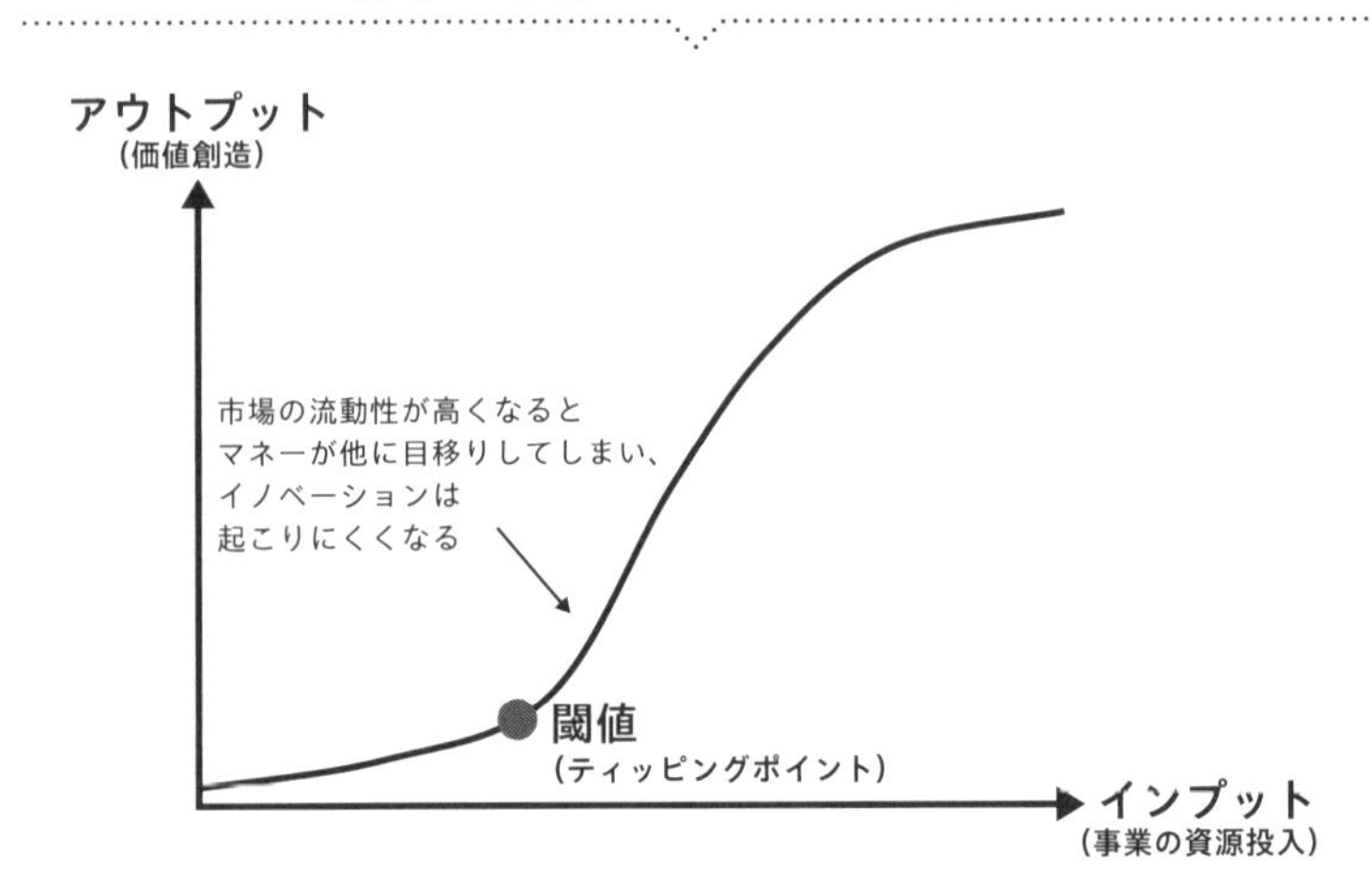

値の本質を洞察しない。だから**マーケットに委ねたからといって、物事がいつも最適化されるわけではないのだ。**

ハゲタカファンドとその他のステークホルダー（経営者、従業員、取引先、顧客）の違いは、その会社について考える時間軸の長さである。その他のステークホルダーはお金以外の視点で長期にその会社に関わるが、ファンドには背後にスポンサーがいて「マネー」を軸に活動するので、お金の増加が低減すれば、他に獲物を探したほうが効率的である。表面をついばんで去ってゆくから「ハゲタカ」と呼ばれる。魂を持った会社はこうして駆逐されるのである。

市場は生産的だが、決して創造的ではない

物事が本当に価値を生む様子は線形的に上がるのではなく、二次関数的に一度境界となる値（ティッピングポイント・閾値（いきち））を超えて急成長するカーブが描かれる（前ページ下の図1－12）。このカーブを迎えるまでは、成長の効率は悪い。だが、頑張らなければならない。市場の流動性があまりにも高くなると、ティッピングポイントに達する前に他に目移りしてお金を移動させるためイノベーションは起こらず、インプットに対するアウトプットの効率は悪くなる。要するに、**「市場は生産的だが、決して創造的ではない」**ということだ。

それでも社会は「信頼」と「信用」で回っている

私たちはサブスク中毒に侵されている

「サブスク」という言葉が一般に浸透してから久しい。サブスクとは、主にＮｅｔｆｌｉｘやＡｍａｚｏｎプライムといった月額の定額サービスに課金することを指す。

しかし、インターネットサービスやスマホゲームに限らず、私たちの日常には、サブスクにも似た形で定常的に紛れ込んでいるいくつもの中毒がある。

たとえば、アミノ酸やカフェイン、人工甘味料はその一例に過ぎない。これらの商品は私たちの日常に溶け込み、その依存の中で企業は莫大な利益を上げている。サブスク中毒に侵された我々は、さながら、アヘン戦争前夜のアヘン漬けにされた中国のようでさえある。

コロナ禍によって「#ステイホーム」が叫ばれ、この生活様式が定着したことも、この傾向を加速させる一助となった。くり返しになるが、サブスク型ビジネスの多くは「依存症ビジネス」の体をなしている。私見を述べれば、ほとんどのビジネスが、「搾取」とまでは言わないものの、「中毒」を基軸にしていると思っている。

私は基本的に、「ビジネスとは外部不経済」だと思っている（外部不経済については110ページを参照）。つまり誰かが利益を上げれば、その尻拭いを別の誰か（ほとんどが政府や市民やコミュニティ）が時間差で背負っているのだ。

昔、子守りが大変だった母親がフライドポテトのような飽和脂肪酸の多い食事を摂ったことで、結果的に脳の炎症へとつながって医療的課題になった。一見、健康的に聞こえるサラダ油を使いすぎて、認知症になっている大人も多い。企業は中毒という究極の「サブスク」をこっそりと商品に忍ばせているのだ。

しかし、人間は有機的な存在だから、いつも一定ではあり得ない。脳に一定を指示する中毒はFacebookのようなSNSでもゲームでも何でもマイナスであって、社会がとばっちりを食う。

地球温暖化は主に化石燃料の消費の結果だろうが、製造会社はその責任を取れないから、世界中の人々がその対処をするしかない。そのような外部性、とくに外部不経済を認識するのは創造力の彼方にあり、各個人の責任でもある。

「貢献＞搾取」の原則を守る限り生きてゆける

だからといって、社会にタダ乗り（フリーライド）していてはいけない。社会は制度やシステムとは関係なく、貢献する人には報いるようにできている。

仕事を通じて貢献した対価としてのお金は、すぐには懐に入ってこないかもしれない。お金を稼いだ、あるいはお金を持っているからといって、社会に貢献しているとは限らないのだ。

戦後の更地からゼロスタートした日本も、現在では四世代目に突入している。出生の段階で、家庭環境や家計資産に圧倒的な不均衡がある。まったくもってフェアとは言えない。

それでも社会は「信頼」と「信用」で回っている。

独立するとき、私はある人から勇気が出る言葉をもらった。「大丈夫だよ。社会に役立っている限り、必ず食いっぱぐれないから」と。改めて振り返ると、その言葉は正しかった。

社会は私たちが思っているより繊細で柔軟で、そして優しい。どんなにお金がなくても、社会に尽くしてゆけば、必ず誰かが助けてくれる。逆に何千億円稼いでも、社会に役立っていないと判断されれば、誰も助けてはくれない。本質は貧富の差ではない。**貢献が信頼となり、その蓄積が信用になる。**

時には人に頼り、信用を取り崩して生き延びるしかないのかもしれない（私の場合は起業時や兄の死で追い込まれたときだ）。時にはポカをやり、社会的信用を落とすことがあるかもしれない。それでも「貢献＞搾取」の原則を守る限り、人は生きてゆける。

だから安心してほしい。人生は複雑に見えてシンプルだ。私は資本主義も民主主義も、その他どんな主義やシステムも信じていない。ただ信じているのは「人」と「社会」だけだ。人間は個人的存在であると同時に、社会的存在でもあるのだ。

テクノロジーの進化とこれからのビジネス

監視社会の幕開けvs不正のできないクリーンな時代の到来

今、ビジネスというと、それはすなわち利益を出すこととみなされがちである。しかし大抵、利益を出すときに犠牲になるものがある。それは単純に取引の相手であったり、地球環境であったり、未来であったりする。これを経済学では「外部不経済」と呼ぶ。ほとんどのビジネスは今や、この外部不経済で成り立っていると言ってもいいだろう。

先ほど78ページで、経済学者の宇沢弘文氏の著書に、「自動車は一台あたり500万円で売っているけれども、社会的には一台あたり1500万円のマイナスを生み出している」という記載があったことを紹介した。

宇沢氏は排気ガス、自動車が走るためのインフラ整備にかかるコスト、交通事故やその事故に伴う警察の出動など、広く自動車に付随する負の要素への疑義を呈したのである。

彼の主張を一言でまとめると、自動車には社会的費用がかかっており、自動車会社はその費用を無視する形で利益だけを得ている、ということである。


大抵のビジネスの利益は、この無意識で無邪気な行動によって創出されている。

ゲームで子どもの時間を奪うこと、添加物の入った食品で相手の未来（の健康）を傷つけること、弛まぬ製造と消費で大気を汚すこと。しかし、これらの無意識に行われる外部不経済な行動は、これから２０４０年には完全に捕捉されるだろう。


こうした歪みを把握できるようになった背景には、テクノロジーの進化がある。

ブロックチェーンで取引を記帳しトレースしていく技術や、ＩｏＴ（Internet of Things：モノのインターネット）により地球上のすべてのものが、約5センチ単位の網の目ベースで把握できる世界になりつつあるからである。

世界のすべてがデジタルで把握できてしまえば、誰が何をどこでやっているのかが、一目瞭然でわかる。すでにこうした技術は確立しており、「監視社会につながるのではないか」と危惧されている。

一方、同様の技術を用いることで、実際に行ってきた仕事が社会貢献的なものなのか、つまり社会の役に立っているものなのか、それとも社会から搾取しているものなのかが露呈する。テクノロジーの発展により仕事（ビジネス）の貢献度をトレースし、可視化できるようになりつつあるのは福音と言えるだろう。

古今東西・森羅万象が捕捉され、解析されるようになる。**どこでも（IoT）、動き回り（ロボティクス）、データ処理され（量子コンピュータ）、解析され（AI）、すべて記帳される（ブロックチェーン）世界がやがて到来する。**コロナウイルスの感染経路がこの手順によって明らかにされたように。それを「監視社会の幕開け」と捉えるか、「不正のできないクリーンな時代」と思うかはあなた次第だ。ここで重要なのは、**ビジネスがAwareness：人のことを想うという本来の意味に戻る**ことである。

キャピタリズムで生き残る2つの分野

果たして「ニュートヨタ」は生まれるか

ここまで、キャピタリズムの全体像と仕組みについて解説してきた。最後に、今後の産業を創造できる企業の要件について考え、本章を締めくくることにしたい。

過去の著書で、「企業は価値を創造するコミュニティ」だと書いたことがある。すなわち、企業には、それぞれに掲げる価値観が定まっており、その価値の創造にコミットできているかどうかが重要なのである。トヨタが自動車で日本の産業を牽引してきたように、今後は〝ニュートヨタ〟が生まれるのかどうかが日本にとっては最重要課題となる。

日本を代表する企業の創業は、いずれも100~200年ほど前だ。そもそもトヨタも、創業当時は一つのベンチャー企業に過ぎなかった。もし今後、次のトヨタとなるような企業が出てこなければ、日本の未来の雲行きは怪しい。

現在でも、若者たちに「プログラミングをやれ」、あるいは「英語をやれ」といったアドバイスが投げかけられることがある。ただ、それがいつ何の役に立つのかわからないのが実情だろう。むしろ、**より大局的な視点から、集約される産業で自分がコミットすべき分野を戦略的に選ぶことこそ、キャリアを考えるうえでは重要である。**

イーロン・マスクはなぜ偉業を達成できるのか

元プロサッカー選手の中田英寿（なかたひでとし）さんがテレビの取材で、「僕がすごいんじゃない、サッカーが偉大なんです」と答えているのを聞いて、「そうだよな」と思ったことがある。

サッカーは、ボールと空間さえあれば誰でも、どこでもできる意味で貧富の差を問わない。もっとも敷居の低いスポーツであり、それゆえに世界最大の競技人口を抱え、大きなマーケットを形成できる。サッカーは偉大である。

同じように、〝リアルアイアンマン〟として人気絶頂のイーロン・マスクは起業家のヒーローだ。けれど、単に彼を追いかけるのではなく、〝イーロン・マスクを生み出すことのできたこの世界〟の新しい仕組みを考えることのほうが本当は大事だ。

彼はＰａｙＰａｌをｅＢａｙに売却した資金1億８０００万ドル（約２００億円）を元手にスペースＸ（宇宙ロケット）を起業し、テスラ・モーターズ（電気自動車）にも出資。すぐにＣＥＯに就任する。さらにソーラーシティ（太陽光発電）を立ち上げ、８００マイル毎時（１３００㎞／ｈ）の輸送機関ハイパーループ（真空チューブ鉄道）構想を発表。ブレイン・マシン・インターフェース（脳と機械を直接つなぐ技術）のニューラリンクも創業している。スペースＸは衛星通信サービス「スターリンク」も手がけている。空が開けた場所ならどこでもインターネットが利用でき、光回線や携帯電話の電波が届かないエリアでもネットに接続できる革新性がある。

一人の人間が人類レベルの偉業を複数成し遂げられるこの世界の仕組みは、一体何なのか。その答えは、最高の技術知見へのアクセス可能性と、圧倒的な資本調達の可能性にある。**起業家の役割を大雑把に挙げるなら、全体構想とモジュール分解に集約される**。きっとイーロン・マスクは、「この世のあらゆるモジュール分解された資源を調達し得ること」を疑っていない。だからこそ、自身はひたすら構想とそれを実現するための知識に集中し、構想化された方程式が現実世界で機能するかどうかをひたすら検証し続ける。そして、資本集約するための技術と信用を保持するといったことだ。

我々は通常、リソースベースで物事を考えてしまう。だがこれは、分業とネットワークが十分でなかった20世紀の発想だ。今や、世界はあらゆる分業と資源の調達を可能にする。**新しい物事の実現に必要なのは、構想と信用と公共精神に過ぎない**のだ。それが今の世界の仕組みである。

生き残るのは「ロボティクス」と「医療改革」

日本がキャピタリズムで生き残る分野とは、大規模で長期的な資本投下を必要とする分野、すなわち**「ロボティクス」と「医療改革」**である。ロボティクスはGDPを引き上げ、医療改革は社会保障コストを引き下げる。

■ロボティクス

車を含めたロボティクス技術の導入は変わらぬ速度で進む。**ロボティクスとは、ロボット工学の一分野であり、ロボットの構想、設計、製造、運用、保険などのファイナンスなどを対象とするもの**である。

日本の産業史を振り返ると、過去50年間は自動車産業がその中心であり続けた。自動車産業のサプライチェーンは長い。企画・設計から部品作り、板金でシャーシを作る工場もある。部品を組み立て製造し、販売、アフターケアもする。そのうえ、保険や金融もつけることができる。長いサプライチェーンの中で、日本人は滞りなくバケツリレーを続けてきた。

この一連の連携こそ日本人の得意分野であり、他国が簡単には真似できない強みである。サプライチェーンが長い産業だからこそ、中卒や高卒も含む多様な雇用を生み出してきた。自動車の部品工、カーディーラー、トヨタ本社の企画職……産業に携わる職種を挙げたらキリがない。つまり自動車産業は、日本国民を吸収するプラットフォームとして機能してきたのだ。

ところが、自動車自体がコモディティ化してしまったため、今後は産業自体が厳しくなる。自動車業界をアップデートする産業として期待されるのがロボティクスの分野だ。

ロボティクスも自動車と同様、バケツリレーに似たシステムで動く。そのため、エリートから非エリートまで、多種多様なバックグラウンドを持つ人材に雇用を供給できる。それでいて、産業は未成熟の発展段階にある。

ロボティクスが活用される具体的なシーンとしては、ビルや高速道路などのメンテナンス、警備や介護の分野があるだろう。あるいは、宇宙開発は世界の億万長者がこぞって参入する領域である。日本でもｉｓｐａｃｅなどが数百億円を集めるが、世界では兆単位でお金が集まっている。まさにレベルが違う。これは地球規模ビジネスとなる。

さらに先の未来を考えると、ロボティクスが絡まない産業のほうがむしろ少なくなる。少子高齢化の進む先進国の社会のあちこちで膨大な数のロボットが働く。AIやIoT、あるいは保険や金融、はたまた板金工場や設計アルゴリズム／ネットワークなど、無数の機能を統合することが求められるこれらの産業は、日本人が得意な分野である。GAFAM（Google・Amazon・Facebook・Apple・Microsoft）のような企業を日本から生み出すことを目指すよりも、日本人に最適な産業に注力するべきだ。その意味で、ロボティクスは日本人にとっても相性が良く、市場規模も大きい有望な産業だ。

今後、ロボティクス産業が日本の輸出の一角を占めることに期待したい。

■医療改革

医療改革は、日本が真っ先に取り掛からなければならない分野である。この領域は研究開発に莫大な時間とお金がかかるので、資本集約で勝敗が決する。この分野に取り組むことは、医療介護費用として年間約60兆円かかっているコストを削減することを意味する。

一口に「医療」と言っても、その範囲は先端医療や未病、あるいはアフターケア、ゲノム解析など多岐にわたる。そのため、医療システムが指すのは電子カルテや保険制度、あるいは医師会の扱いや、総合病院と町医者を包含する複合的なシステムのことだ。

日本は高齢化が進行し、医療システムに膨大なコストがかかっている。もちろん医療システム自体を輸入することがあっても、日本人としてこの改革に参加する意義も大きい。

イメージとしては、国として売り上げを立てるのはロボティクスであり、国のコストを下げるのが医療システム改革である。それぞれの売り上げとコストが100兆円ずつだとすれば、国として200兆円のGDPをプラスにすることが可能であると考えている。

揺らぐ行政の存在感と地域コミュニティの再興

今後キャピタリズムの中で伸張が予想される分野に加え、最後に社会システム全体の行く末についても考えを巡らせておきたい。

前提として、この国を一つの単位で捉えることはすでに限界を迎えている。**今後はそれぞれの地域コミュニティに分割し、「マルチコミュニティ」の観点から捉え直す視点が重要となる。**

現在の政治システムは過渡期にあり、地方交付税や国庫支出金は底をついている。そのため、今後はそれぞれの地域コミュニティに自立が求められる。自分たちで地方債を発行し、外交してもいいだろう。各地域が民主主義を達成し、社会インフラを作り、そこで暮らす人々の幸福度を高めてゆく。
地域コミュニティの社会インフラを作る仕事を「コミュニティオプティマイザー」と呼ぶが、今後その役割の重要性が増してゆくはずだ。それと並行して、従来の中央集権的な政府や行政の存在感は薄らいでゆき、将来はなくなってゆくことすら推測できる。

地域コミュニティのインフラは次の4つに分かれてゆく。
1つ目は財政で、2つ目は保険をはじめとする健康管理システム。3つ目に法律（条例）と、4つ目に教育がある。これらの基礎インフラがコミュニティごとに変わってゆくはずだ。実際、今でも健康管理システムや教育システムは大学を中心として変化している。現状、財政と法律は自立できていないが、財政に関しては、今後、各地域コミュニティが藩札のような形で紙幣を発行し、自立してゆく可能性がある。法律も、アメリカでは州法として分かれて施行されている。日本でも同様に、地域ごとにこうしたインフラが分かれて管理されるようになる。

これらのインフラは今まで国家が一元的に担っていた部分であるが、今後地方が自立を果たしてゆく中で、一部の無秩序なエリアが生まれてしまうことは不可避だろう。長い目で見れば、そうしたエリアはいずれ滅びてゆくと思われる。

日本の人口は、今後1億2330万人から半分以下の6000万人へ減少すると見込まれている。都市国家を中心とした連邦国家へ移り変わらなければ立ち行かなくなるだろう。

たとえば、イギリスで特急電車に乗った場合、駅を出てから10分もすると、羊しかいない田園風景が眼前に広がる。そうかと思えば、またしばらくすると建物群が現れ、次の都市に到着する。日本の場合はどうだろうか。新幹線に乗っても、連なった住宅の風景がどこまでも続く。しかし、こうした光景にも早晩変化が訪れる。

各地域コミュニティが自立するためには、独自のインフラや産業を持ち、海外と取引を行い、貿易によって地域が潤ってゆく必要がある。その過程で、起業家や若者たちは暮らしやすく働きやすい場所へ移住し、その地域にコミットすることで、改革が生じることが想定される。


こうした未来へ向けた変化へのスピード感や洗練度は、各都市ですでにまったく異なる様相を呈している。

その違いを生むのは、都市ごとの危機感の強さである。都市ごとの病院システムや移動手段としての交通インフラを比較したとき、改革がまったく進んでいないエリアもあれば、急激に進化を遂げている都市もある。日本でも県単位で見ると、神奈川県としてはそれほど進んでいないが、横浜や鎌倉のように、一部の市で先進的に改革が試みられている場合もある。

漂白化された世界で「個性」を取り戻そう

キャピタリズムによって大量のエネルギーを投下しながら、大量に同じ製品を作り、それを世界へ供給する仕組みによって、各地の歴史や文化、個別性、文脈といった人文的要素が世界から洗い流されてしまった。世界のどこに行っても、誰もが同じものを同じように享受するようになった（マクドナルド、ｉＰｈｏｎｅ、Ｎｅｔｆｌｉｘなど）。

そんな世界は、なるほど便利である。効率的である。しかし、これは人類の生存にとって危機である。なぜなら**人類とは、社会性と個性という相対する二つの要素を掛け合わせて「分業」したからこそ発展してきた種族だからである。資本主義のエネルギーによって個性が漂白されたことで人類は強みを一つ失い、片手をもがれた状態である。**

人類は「個性」を取り戻さなければならない。その「個性」から発露する「創造性」を持って新しい世界を作ってゆく必要がある。それが資本主義によって漂白された匿名世界をひっくり返すパワーとなるからだ。そのために私たちができることは何だろうか。キャピタリズムの勝者となること？　あるいは……。

Column

3つの世界を行き来するウォーレン・バフェット

アメリカのネブラスカ州オマハに、世界一の投資家が住んでいる。かのウォーレン・バフェットである。バフェットは幼い頃、父に連れられてワシントンD.C.に出たが水が合わず、結局、祖父の家からオマハの中学校に通ったという。その後ワシントンD.C.に戻った彼は高校を卒業し、コロンビア大学でMBAを取得した。そして師匠となる経済学者のベンジャミン・グレアムの下で働いたのちに故郷のオマハへと戻り、小さな家とオフィスを行き来して暮らしている。

今では毎年、バフェットが代表をつとめるバークシャー・ハサウェイの株主総会の季節になると、世界中のバフェットファンがこの小さな町を目指してやってくる。

バフェットはオマハを愛し、土地に根ざし、交流し、そして仕事を通して資本主義世界とつながっている。好きなチェスなどの趣味やメディアを通してヴァーチャリズムの世界にも顔を出す。まさに3つの世界を行き来する存在である。

生活においては、自分の時間の流れに合った場所にゆっくりと住み、身体性と関係性を持ちながら（バフェットは2024年2月現在93歳だが、仕事も現役であり、おまけにチェリーコークとハンバーガーを食べ続けているが健康である）、その創造力を存分に発揮し、社会で活躍している存在である。

私は、これからのウェルビーイングな生き方として世界を3つの層で捉え、それぞれの世界で求められる知識や生き方を書いてゆく。

3つの世界を同時に満たすのはとても難しいかもしれない。皆がウォーレン・バフェットにはなれないかもしれない。それでも少しずつ学び、適応してゆくことが必要だ。

《ヴァーチャリズム》

第2章

ネットワーク上に出現する新しい秩序と制度を持つ世界

本章では、世界中を覆うネットワーク上をデータが駆け巡って構築されたヴァーチャリズム（仮想現実世界）の実相に迫ってゆく。生成AI、Web3.0、メタバース……次々と生み出されるバズワードに踊らされるのではなく、ヴァーチャリズムの視角から、テクノロジーによる変化の大局を理解しよう。

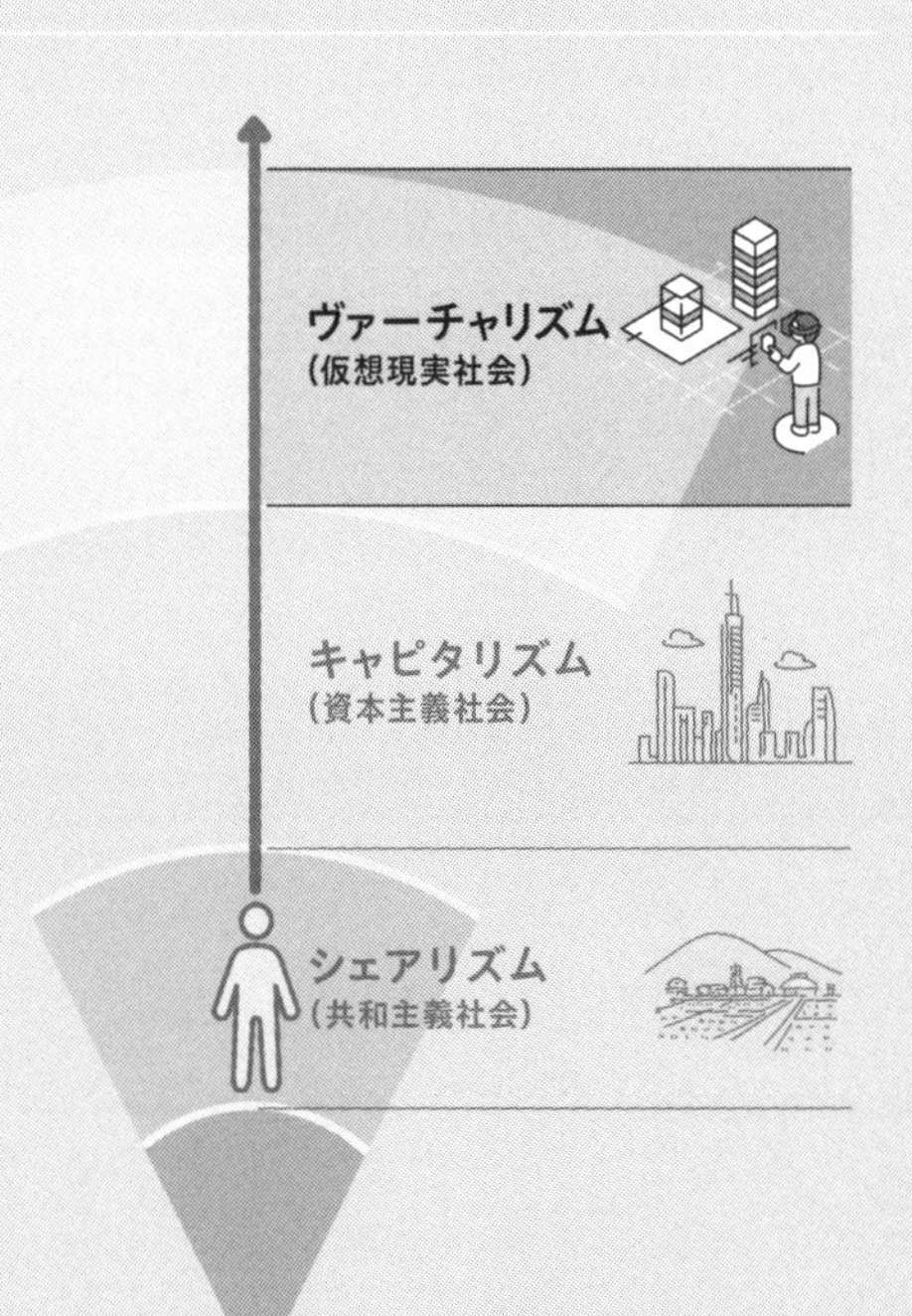

ヴァーチャリズムの世界で今起こっていること

メガトレンドの裏に必ず存在する起業家

前章ですでに、連続起業家として宇宙ロケットから電気自動車まで次々と事業を展開してゆくイーロン・マスクについて触れたが、ヴァーチャリズム（仮想現実世界）の舞台裏でも彼は、ある意味の主役として浮かび上がってくる。

２０２１年10月、Ｆａｃｅｂｏｏｋは社名を「Ｍｅｔａ（メタ）」に変更することを発表した。その翌年、イーロン・マスクはＴｗｉｔｔｅｒ社の買収に手を挙げた。価格は６・４兆円。「それほどの価値があるのか？　わからない」とアナリストらは驚いた。

彼が買収に動いた背景には何があるのだろうか。世界中で注目を集める文章生成ＡＩ「ＣｈａｔＧＰＴ」を提供するＯｐｅｎＡＩも、２０１５年にイーロン・マスクらによって共同創業され、彼が初代会長を務めていた。メガトレンドの背景には、ことごとく彼の存在がある。

知らず知らずのうちに、私たちが多くの時間を過ごしているヴァーチャリズムの世界に思いを巡らせてみよう。

東京の山手線内で、スマートフォンの画面を覗いている人がどのくらいいるだろうか。ほぼ全員が現実社会ではなく、ヴァーチャル空間に意識を傾けている。

ヴァーチャル＝仮想空間は無国籍である。ヴァーチャリズムはゲームから始まる。ヴァーチャル世界の解像度は高まり、ヘッドセットを被ろうが被るまいが、その世界で暮らす時間はより長くなってゆく。「ジェネレーションα」と呼ばれる2010年~2024年頃までに生まれた子どもたちの多くはすでに、多くの時間を『フォートナイト（Fortnite）』や『ロブロックス（ROBLOX）』といったゲームの中で過ごすようになっている。

一体何が起こっているのか？　それは**現実世界の補佐的な機能でしかなかったネットワークが社会、あるいは新しい世界としての秩序と制度を生み出そうとしているということだ。**

イーロン・マスクはTwitterというウェブサービスではなく、**ヴァーチャリズム世界における民主主義議会プラットフォームを手に入れようとしているのだ。**

「ChatGPT」は、2022年11月のベータ版公開からわずか2ヶ月間で月間アクティブユーザー数（MAU）が1億人を突破した。インターネットの歴史を振り返っても、これほどの速度で一つのサービスが人口に膾炙（かいしゃ）した例はほぼ存在しないだろう。

ヴァーチャリズムの文脈で、ChatGPTはどんな意味やインパクトを持つのだろうか。結論を述べれば、「(ChatGPTというテクノロジーによって）デジタル世界上の人間が完成する」と考えている。それだけ聞いても意味がわからないと思うので、詳しくは次々項以降に事例を交えて説明したい。

ヴァーチャリズムとは、現実社会に役立つ仕組みをネット上で実現させるこれまでのITの取り組みではない。**新たな理想「社会」そのものをデジタル空間に成立させようという試みのことである。社会に必要な民主制度・市場・法的枠組み、そして人権を含む社会福祉環境などをこれまで機能として使っていたネット空間に構築するムーブメントのこと**である。

本章では、前半でヴァーチャリズムにおけるキーワードの確認から始め、なぜヴァーチャリズムでは知識よりも意識が重要になるのかについて説明する。そのうえで、ヴァーチャリズムから派生する経済圏「アテンション・エコノミー」が、キャピタリズムとはまったく異なる論理で駆動されることも解説してゆく。この経済圏では、「個性」と「創造性」こそ価値の源泉になる。章の後半では、その個性と創造性を育むための教育にまで深掘りしてみたい。

子どもが夢中になっているものに着目せよ

知の巨人も注目した「傾向」よりも大切なこと

価値観がまだ凝り固まっておらず、新しいテクノロジーをオープンマインドで受け入れる子どもの動向を確認してみよう。その行動様式に、ヴァーチャリズムの世界で生きてゆくためのヒントがある。

まだ祖母が生きていた頃、私が10歳のときに『ドラゴンクエスト』というゲームが発売された。その新しさ、楽しさの衝撃はとてつもないものだった。祖母は農協に勤めていたが、地元の証券会社の付き合いで少しだけ株をやっていた。

私は「『ドラゴンクエスト』というゲームがすごいから、これを作っている会社の株を買うべきだ！」と力説したことがある。やがて、このゲームの開発元であるエニックスは巨大企業へと進化した（その後スクウェアと合併し、スクウェア・エニックスとなった）。

イーロン・マスクも幼少期の頃にプログラミングに興味を持ち、コンピュータゲームの制作に熱中していたという。10代の頃にはコンピュータゲームを自作し、販売していたこともあった。その後、弟のキンバル・マスクと、オンラインコンテンツ会社「Ｚｉｐ２」を立ち上げ、１９９９年にコンパック社へ3億ドル余りで売却した。

20世紀最高の知の巨人であるピーター・ドラッカーはかつて、「傾向ではなく実際の変化、とくに子どもが実際にやっていること、夢中になっていることに着目せよ」と言った。「それが未来の現実となるのだから」と。

先日、よこはま動物園ズーラシアに知り合いの子どもを連れて行ったが、動物園の中でもゲーム『どうぶつの森』ばかりやっていた。その姿を見て、私は悲しくなった。

子どもにはなるべく自然の中で過ごしてほしい。なぜなら自然の解像度は、人工的に作った我々のいる世界より圧倒的に高いからだ。解像度の高い世界を知覚できていれば、歳をとったときに解像度の低い私たちの世界のことを簡単に理解し、キャッチアップできると思うからだ。

しかし、その考え方は半分間違っていたかもしれない。

もう一度、ドラッカーの言葉を思い起こしてみよう――「子どもが実際にやっていること、夢中になっていることに着目せよ。それが未来の現実となるのだから」。

現代の子どもたちの関心は、今のところゲームの世界にある。

たとえば『マインクラフト』では、プレイヤーが自由にブロックを配置して気軽に建築を楽しむことができる。子どもが自分の好きな世界を自ら「創り出す」体験を提供しているのだ。ゲームはもはや消費対象の域を出て、立派な創造のプロセスとなっている。その中には新たな社会も生まれる。価値を交換する通貨やルール、新しい言語、そして憧れの対象となるカリスマである。マインクラフトの中に仲間や友人がいる。それは大人の知らない一つの社会となっているのだ。

「バズワーズ」で大局の変化をつかめ

ヴァーチャリズムを牽引するバズワーズたち

昨今、Web3・0、メタバース、NFT、AI、ブロックチェーン、量子コンピュータ、デジタルツインなどの様々な言葉が生まれ、その本質が理解されることなく言葉が一人歩きしている。本質を理解することではじめて、上辺だけをビジネスに生かすのみならず、自らの生き方に与える影響まで考えることができる。ここではそれぞれの概念を簡潔に解説しておく。

Web3・0：より民主的でオープンなインターネットの実現

Web3・0とは、分散型の技術やブロックチェーンを活用して、より民主的でオープンなインターネットを実現しようとする概念である。従来のWeb2・0では、大手企業や中央集権的なプラットフォームが情報やデータのコントロールを握り、ユーザーはその制約の中で活動していた。だが、**Web3・0の目標は、個々のユーザーがより直接的な参加とデー**

タの所有権を持ち、インターネットのルールや運営により大きな影響力を持つことにある。

メタバース：それぞれが創る自分の好きな世界

メタバースの由来は、SF小説『スノウ・クラッシュ』（ハヤカワ文庫）に登場する架空の仮想空間サービスの名称である。

メタバースの本質は、人々がそれぞれ自分の好きな世界を勝手に創ることにある。そして、創った世界がお互いにつながり合う。対して、ヴァーチャルリアリティは誰か（会社）が創った仮想世界に様々な人が参加して交流することを指す。メタバースが勃興する世界は、90年代にホームページを作り、他の人のホームページとリンクさせた時代に似ている。

NFTとブロックチェーン：デジタル空間での所有権の確立

デジタルの本質は複製（コピー）可能なことにあるが、そのコピーを止める方法が、このNFTとブロックチェーンである。**ブロックチェーンは改ざんを止め、NFTはデジタルな空間でも所有権を確立できるようにしていることに意味がある。**

ヴァーチャリズムの世界が理解できないのであれば、とりあえず暗号通貨でも買ってみるといい。売買の方法や暗号通貨を保有する人たちの価値観や嗜好性、価格決定を左右する世界動向などが感覚としてつかめるだろう。

量子コンピュータ：高速に最適化問題を解けるようになる

従来の古典コンピュータでは情報を「ビット（bit）」という0と1の2つの値で表現するが、**量子コンピュータは物理学の原理を利用し、情報を「量子ビット（qubit）」と呼ばれる単位で表現する。**まだ完全な実用化には至っていないものの、将来的には暗号解読、最適化問題、化学・材料科学など、幅広い分野での応用が期待されている。古典コンピュータでは、膨大な計算リソースにより、実用化が現実的ではなかった分野におけるイノベーションの触媒として期待されている。

デジタルツイン：物理システムをデジタル空間でモデル化する

現実世界の物理的なオブジェクトやシステムをデジタル空間でモデル化したものを「デジタルツイン」と呼ぶ。デジタルツインは物理システムの状態や挙動をリアルタイムにモニタリングし、シミュレーションや予測を行うために使用される。具体的にデジタルツインが活用される領域としては、産業分野や都市管理、交通システム、エネルギー管理などが挙げられる。

デジタルツインを導入することで、物理システムの効率性や安全性の向上、トラブルの早期発見や予測、遠隔監視・制御の実現などが期待される。

仮想世界の輪郭は固まりつつある

これらの言葉=バズワーズはどれも少々大げさである。

メタバースは中途半端な3DCGであり、Web3・0の世界で完全な民主化が果たされるわけではない。GAFAMが今後も覇権を握り続けるのかどうかは定かではないし、間違いなくまだ見ぬプレイヤーが出てくるだろう。民衆はその手のひらで踊る存在になることに変わりはない。ブロックチェーン技術も複製や改ざんを完全に止めることはできないし、NFTで得られるデジタル空間上の所有権も脅かされる危険性がある。

ただ、**重要なのは個別の問題ではなく、大局の変化をつかむことである。**

バズワーズが喧伝される背景には、本物と偽物の動きがある。あるときは大げさにメディアに持ち上げられ、バブルと破綻を引き起こすだろう。しかし、仮想空間における制度とシステムが、徐々にではあるが、確かに整いつつあるのだ。

大局的にその趨勢を見るならば、そうした潮流が貨幣制度であり、所有制度であり、人権確保であり、ネットワークというインフラを維持するための効率化のことだとわかる。そして、このムーブメントのことを「ヴァーチャリズム」という。

仮想世界の輪郭が徐々に固まるにつれ、参加者は増えてゆく。その多くは若者、そして子どもたちである。**ヴァーチャリズムが追求する新たな自由とは、当然3次元からの脱却にある。時と場所を選ばずに参加できる社会。自分の肉体的特性を反映しない投影（アバター）である。**

ヴァーチャリズムで広がる認知の可能性

ヴァーチャル空間の解像度が高まるにつれて、触覚や視覚を含む様々な感覚がよりリアルになってゆく。どこまでいってもリアルとヴァーチャルの差を埋めるのは我々の想像力である。そのため、想像力の豊かな子どもたちや、偏見や固定観念を持たない人間ほど、未熟なこの世界を認知して楽しみやすい。ヴァーチャリズムが実現しやすいのは我々の五感のうち、視覚→聴覚→触覚の3種類である。

ヴァーチャリズムはまず、視覚から実現される。実現を支える技術には3DCGとその背景にあるAI、高度な演算処理を行う量子ビットコンピュータの存在がある。

聴覚についての技術は、すでに私たちの肉体以上のレベルが実現に至っている。人間が聞こえない音を聞き分けることのできる高性能イヤーセットを装着することによって、すでに聴覚の拡張が可能である。

触覚についても、筋細胞は意外と単純な仕組みであることが近年の研究で明らかになりつつある。嗅覚と味覚に関しては、神経系とホルモンの研究によってそれらを知覚させる何らかの刺激と同期させなければならないが、まだそこまでは突き止められていない。

むしろ**ヴァーチャリズムが目指すのは、五感の先にある認知の限界である。**それは4次元・5次元的認知への拡張ともいえる（次元については終章を参照）。

たとえば、私たちの世界は時空を超えてつながっている感覚であるが、時空間を自由に行き来できるヴァーチャリズムの世界では一体感を得やすい。映画『インターステラー』を観たことがある人は、この感覚がイメージしやすいかもしれない。

ヴァーチャリズムの世界はまだ不完全ではあるが、現社会において不自由を感じている人がそこから脱却して新たな自由を求めるには、十分参加する魅力のある完成度に近づきつつあるのだ。

半数の人は仕事を奪われる

アメリカの司法試験も余裕でクリアするＣｈａｔＧＰＴ

本章の冒頭で、リリースから急速に世界を席巻するＣｈａｔＧＰＴによって、人間というインターフェースが完成するだろうと述べた。ここでは詳しくその意味について解説したい。

そもそもＣｈａｔＧＰＴとは、対話型の人工知能である。先述したように、イーロン・マスクらによって創業されたＯｐｅｎＡＩが開発した大規模言語モデル（Large Language Models、以下ＬＬＭ）を用いている。ＬＬＭは、巨大なデータセットを用いてトレーニングされた自然言語処理モデルのことを指す。要するに、インターネット上に膨大に存在するテキストデータを学んだＡＩが、人間側がＣｈａｔＧＰＴに投げかけた質問に対し、瞬時に精度の高い返答を行うのだ。

これまでに存在したAIチャットボットとの本質的な違いがいくつかある。

まずChatGPTは、これまでの一般的なAIチャットボットと比較できないほど大規模なデータセットによりトレーニングを受けている。これにより、**高度な自然言語理解と対話能力を有し、より自然で人間らしい対話が可能である。**つまり、以前までのAIチャットボットに感じていた非人間性、ある種のロボットっぽさが排除されているのである。

加えて、ChatGPTの特徴として「コンテクストの理解」がある。これまでのAIチャットボットは開発者によって事前に用意されたルールやテンプレートに従って応答を生成していた。一方、ChatGPTはあくまで**個々のユーザーが入力したテキストに基づいて応答を生成し、対話の流れを維持するための文脈を保持することが可能となっている。**

ChatGPTも目まぐるしい勢いで進化を遂げており、2023年3月に発表された新型モデル「GPT-4」は前モデルを遥かに凌ぐ言語能力を備えている。さらに画像認識機能も実装したことで、もはや「対話型AI」といったカテゴリーに収まらなくなってきている。

実際にGPT-4は、どれほどの性能を備えているのだろうか。そのレベルを例示するため、GPT-4が人間界のいくつかの難関テストをクリアした事例を紹介したい。

とくに私たちに衝撃を与えた事例としては、アメリカの司法試験がある。GPT-3・5では受験者の下位10％程度の点数しか上げられなかったのにもかかわらず、GPT－4に至っては上位10％に入る成績を叩き出し、余裕で合格できる水準にあることを示した。さらに、米国の医師資格試験や経営学修士の名門とされるウォートン・ビジネス・スクールのMBA試験などの難関テストにも次々と合格水準でクリアする事例が報告されている。

生成系AIの発達は歓迎すべき未来

こうしたセンセーショナルなChatGPTの進化は弁護士や教師、ひいてはホワイトカラー全体にどういった影響を与えるのだろうか。

GPT－4のリリースから数日後にOpenAIが公開したレポート「高度対話型AIがアメリカの労働市場に与える影響」によれば、**「ChatGPTのような対話型AIにより、アメリカの労働者の約80％が少なくとも業務の10％で影響を受け、約19％の労働者がその業務の50％で影響を受ける」**と予想している。

加えて、米大手金融グループのゴールドマン・サックスが同様のテーマで考察したレポートでも**「米欧における現在の仕事の約3分の2がAIによって自動化される可能性があり、とり**

わけ生成ＡＩによって現在の仕事の約４分の１が代替されてしまう」との見解を発表している。

これらのレポートの予測がある程度正しいならば、世界中のホワイトカラーの大部分が大なり小なり生成系ＡＩの影響を受けることになる。

２０１５年、オックスフォード大学のマイケル・オズボーン准教授らによって**「10〜20年後に日本の労働人口の49％は、ＡＩやロボットで代替可能になる」**という報告書が発表された。この発表が衝撃的だったことをいまだに覚えている人も少なくないだろう。

我々が今目の当たりにしているＣｈａｔＧＰＴをはじめとする生成系ＡＩの急速な発達は、オズボーン教授らが示唆した未来が必ずしも非現実ではないことを予感させる。

こうした未来予測を聞いて、あなたは不安を抱くだろうか。私はむしろ歓迎すべき未来であるように思う。なぜなら**ヴァーチャリズムの目的は、「人間の個性と創造性を拡張すること」にあると考えている**からだ。

人間とAIの区別がつかなくなる

アメリカの未来学者であるレイ・カーツワイルは著書『The Singularity is Near（シンギュラリティは近い）』（NHK出版）の中で、シンギュラリティ（技術的特異点）が起きる可能性がある時期は2045年と予測した。

シンギュラリティとは、人工知能をはじめとしたテクノロジーの進化が急速に進むことで、人工知能が人間の知能を超えて自己学習や自己進化を遂げる状態に到達することを指す。

前項で説明した今の生成系AIの性能や精度を考えたとき、2024年現在、私たちはすでにシンギュラリティを迎えた世界を生きていると言っても過言ではない。

もちろん、シンギュラリティの定義は識者によって異なるため断定はできないものの、少なくともシンギュラリティ前夜（pre-singularity）を迎えていることは疑う余地がないだろう。

コンピュータや人工知能の能力を評価するためのテストとして、これまで半世紀近くにわたって用いられてきたのが「チューリングテスト」である。このテストはコンピュータ科学者であるアラン・チューリングが考案したもので、人間の審査員がコンピュータと人間を区別せずに対話を行う。テキストベースのインターフェース（コンピュータと人間が情報をやりとりするときに接する部分のこと）を通じた会話を行い、審査員は相手が人間であるかコンピュータであるかの判断を行う。

つい近年まで、ＡＩの分野で一般的なテスト方法に数えられてきたチューリングテストであるものの、ＣｈａｔＧＰＴが登場して以来、わざわざこのテストについて触れる者さえいなくなった。つまり、**ＣｈａｔＧＰＴの性能と精度は、チューリングテストが論点にしていた命題を一笑に付してしまうほど、自明の真理として飛び越えてしまったのである。**

対話相手であるＣｈａｔＧＰＴは、人間と見分けがつかないどころか、一人の人間が一生かけても得られない膨大な知識をもって、瞬時に応答してくる。

生成系ＡＩによってデジタル世界上の人間が完成する

現在、日本においてＣｈａｔＧＰＴが紹介される場合、注目の大半は、対話型ＡＩのテキストのやりとりの部分が占めている。求めている情報を収集したり、議事録や論文の要約を作成したり、企画の壁打ちとして用いたりするといった形での有用性が脚光を浴びているのだ。

しかし、ＯｐｅｎＡＩが研究開発しているＡＩは文章生成のみならず、音声（音楽）、画像、動画まで幅広くカバーしている。ＡＩへの指示出し（プロンプトエンジニアリング）は、自然言語があたかもプログラミング言語の役割を果たしているようなものの、ＡＩ側からの出力はテキスト、音声、画像、動画までマルチメディアとなる。プロンプトエンジニアリングのクオリティ次第でＡＩの性能ポテンシャルをどこまで引き出せるかが決まるので、これまで以上に人間側の言語力や感性に磨きをかけることが求められるだろう。

自動翻訳技術も同時並行で向上してゆくとはいえ、その意味で、英語力の重要性も高まる。生成ＡＩの操作を英語で行うのか、あるいは日本語で行うのかで、いまだ性能や精度面で大きな溝があることは付言しておきたい。生成系ＡＩの進化は、単に「論文が楽に書けるようになった」といった次元の話ではないのだ。

ＯｐｅｎＡＩが公開している各種ＡＩ技術をデジタルヒューマンに組み合わせると、大げさではなく、人間に課されていた時間と肉体の制約がなくなる。ある個人の画像や動画、あるいは声のデータセットさえ渡してしまえば、ある人間の姿形、音声、知性をすべてトレースして再現できるようになる。本章ですでに述べた「デジタル世界上の人間が完成するだろう」と主張した意味を理解してもらえるだろうか。

言うまでもなくデジタルヒューマンが死ぬことはない。今後、世界中で無数のデジタルヒューマンが生み出されてゆく未来は想像に難くない。

だとすれば、自然と死の概念そのものが変わる。**中身の人間は生きている間、デジタルヒューマンのデータ元となる知的資産のアーカイブ（ウェブ上で発信するテキストや画像、動画など）をいかに残すか、ということに振る舞いが変わってゆく。**

AIと共存する

AIはクリエイティビティを補完する「外部脳」

目まぐるしくAIが進化する中、私たちはどのように生きてゆくべきなのだろうか。

いつの時代のテクノロジー史でもセットで語られる「機械が人間の仕事を奪う」といった悲観論に嘆く必要はない。思い出そう。**ヴァーチャリズムの目的は「人間の個性と創造性を拡張すること」**だ。読み書きそろばんならAIだってできる。デジタル世界上に人間が生まれるのは間違いないが、それは人間の持つ「機能」に過ぎない。しかし、人間を人間たらしめるのは、「個性」と「創造性」に他ならない。だから好奇心がより一層必要になる。実は、「個性」と「創造性」はヴァーチャリズムを生き抜く最大の鍵となるので、本章の後半で主題として解説してゆく。

AIをうまいこと利用しながら、共存する方法を考えたほうが未来は明るい。

ChatGPTが脚光を浴びる前からAIと活躍を共にしてきた代表人物として、棋士の藤井聡太（ふじいそうた）氏がいる。２０１６年、史上最年少の14歳2ヶ月でプロ入りした彼は、幼少期からＡＩを壁打ち相手に棋力の研鑽（けんさん）を積んできた。長らく将棋界を牽引してきた羽生善治（はぶよしはる）氏も例に漏れず、ＡＩを活用した研究を取り入れることで、現在も第一線で活躍し続けている。

ＡＩによって将棋の新たな戦術や発見が生み出される一方で、人間の創造性や直観的な判断の重要性が再評価されている点についても注目すべきであろう。

ＯｐｅｎＡＩが、文章生成以外の音声や画像を生成するＡＩも同時に提供してくれていることについては既述した通りである。

たとえば「ＤＡＬＬ‐Ｅ（ダリ）」は画像生成のための人工知能モデルで、ユーザー側が与えるテキストの説明に基づいてＡＩが新しい画像を生成する。「真っ赤な森」とか「太平洋のような山」などの具体的なイメージを指定することで、その文言に応じた画像を生成する。すでにこうした技術を活用したＡＩアーティストが無数に生まれており、ＡＩを創造的なツールとして利用し、新しい形式や表現のアート作品が毎日のように生み出されつつある。

棋士やアーティストでなくとも、**ＡＩは今後当たり前のように、私たちの仕事や生活におけるクリエイティビティやインテリジェンスを補完する自分の「拡張ポジション」や「外部脳」として認識されてゆくだろう。**私たち一人ひとりが、どうすれば生産的に、あるいは創造的にＡＩを仕事や生活に取り入れてゆくのかを考えなければならない。

アニメ、映画、ゲームは融合し始めている

生成系AIの進化は日本企業にとってチャンス

前項まで現在進行形で進化し続ける生成ＡＩの内実と特徴について述べてきた。生成ＡＩが大きなインパクトを与え得る領域として、ゲームがある。ゲームに関しては第1章でも軽く触れたが、ヴァーチャリズムにおけるコアな分野であるため、ここでも触れておきたい。

これまでのゲームはどのユーザーがプレイしようと、基本的に同じ操作性、物語性、舞台装置が提供されてきた。ところが、先述してきた生成ＡＩの技術を用いることで、プレイヤーそれぞれがまったく異なるゲーム体験を行うことができるようになる。

たとえば、ロールプレイングゲームに出てくるＮＰＣ（Non Player Character：ゲーム上でプレイヤーが操作しないキャラクターのこと）の挙動や発言を、その時々にランダムかつプレイヤーに合わせた形で出力することができる。また、ゲームにおけるストーリー展開も可変す

るようになれば、プレイヤーはその場に応じて最適解に基づく行動が求められるようになるため、画一的な攻略方法がなくなる。

プレイヤーの習熟度レベルに応じたゲームが展開されるとなれば、これまでのゲームとはまったく原理が異なる製品が生み出されてゆくことになるだろう。その意味で、ＧＡＦＡＭがこぞって競う大規模言語モデル競争のレイヤーではなく、そのアプリケーションとしてのゲーム分野でこそ日本が優位性を発揮できる可能性がある。生成系ＡＩの進化は、ソニーや任天堂にこそチャンスをもたらす機運と捉えることもできる。

コンテンツを巡る業界の垣根が取り払われつつある

もう一つ着目したい潮流として、ゲーム、アニメ、映画などのコンテンツを取り巻く業界が融合を見せる動きがある。

１９８９年『ヤングマガジン増刊 海賊版』（講談社）にて士郎正宗氏が原作漫画を発表して以来、気鋭のクリエイターが映像化し続けてきた『攻殻機動隊』。その最新シリーズとなる『攻殻機動隊 SAC_2045』では、当初から３Ｄで表現されていた思考戦車のタチコマはもちろん、すべてが３ＤＣＧとなり、公安９課メンバーのデザインも一新された。

アニメスタジオはゲームやテクノロジー企業に統合されつつある。2022年7月、任天堂がアニメーションスタジオ「ダイナモピクチャーズ」を買収し、「ニンテンドーピクチャーズ」を設立した。またソニーは2019年12月、米子会社を通じて子ども向けアニメ制作会社の米シルバーゲート・メディアを買収している。中国の動画共有サイト「ビリビリ動画」運営を中心に、ビデオ、ライブ放送、モバイルゲームなどのコンテンツを提供するBilibili Inc.は、複数のアニメ制作会社を子会社に持つ、持株会社のファンメディアへ投資を実行している。業界の垣根を越えて統合が行われているのだ。

コンテンツと配信とプラットフォームとゲームの世界は、ヴァーチャリズムの世界で統合される。私たちの出資するアニメ制作会社のツインエンジン社も、2022年に世界最大のゲーム会社であるテンセントから出資を受けるに至った。ちなみに、テンセントは世界中で大人気のオンラインゲーム「Fortnite（フォートナイト）」を開発するEpic Games社の株式の40%を保有する主要株主でもある。

ヴァーチャリズムの価値を支えているもの

ヴァーチャリズムは「意識」によって動いている

さて、ここまでは最新のテクノロジー事例を交えながら、ヴァーチャリズムの世界を概観してきた。ここからは、ヴァーチャリズムの経済力学に焦点を当ててゆく。キャピタリズムで確認した原理との違いを読み取りつつ、なぜ「個性」と「創造性」が鍵となるかについて考えてゆこう。

これまでのキャピタリズムの世界では物理的制約、つまりエネルギー資源、化石燃料、鉱物などの古典力学に基づいていた。ところが、ヴァーチャリズムというのは物理的な3次元空間ではなく、空間に時間を足した4次元以上の世界にある。**この4次元以降の世界は、モノではなく人の認知、概念、つまり「意識」によって動いている。**

ヴァーチャリズムのエネルギーの前提は、認知工学（cognitive engineering）にある。これは、人が「想う」ことによって価値が生まれるということだ。

たとえば、人気がある、心地よい、憧れといった人々の集合認知によって、コンテンツもプラットフォームサービスも急速に経済価値が変わる。かつ、その過程で極めて大きなエネルギーが生じる。これはまるで核融合によって圧倒的なエネルギーを発生させる仕組みのようだ。

このような経済システムについて、私たちはまだ多くを体験していない。ただ、物理的3次元的制約がないため、エネルギーの規模がキャピタリズムと大きく桁が異なることはわかる。

序章でも触れた通り、Ｔｗｉｔｔｅｒ（現：Ｘ）の買収においてイーロン・マスクが提示したのは6・4兆円だった。この金額はもはや、キャピタリズムの枠では測れない世界である。今は兆でとどまっているが、２０３０年、早ければ２０２５年には京桁にまで達するかもしれない。それがヴァーチャリズムにおける経済なのである。

くり返しになるが、ヴァーチャリズムのエネルギーの根幹は「モノ」ではなく、人々の「認知」に基づくものである。この世界では大規模な資本を必要としないうえに、そもそもそれほど役に立たない。モノを運んでいた19世紀の経済原則と異なる。**人の想像力から出たアウトプットと、それを受ける者の認知の間で経済が生まれる世界なのである。**

資本が役に立つとすると、インフラを支えるサーバーやネットワークの安全性などの「モノ」的なものだけである。**ヴァーチャリズムの価値の本質を支えるのは、想像力・構想力・構築力・人を惹きつける個性である。**こういったものは、資本投下によって得られるものではない。**人々の求める世界観を描く力と、実際に構築する知識と、アイデアと、構想に人を巻き込む力は依然として必要である。**

異端と異能から成功者が生まれる

近年活躍している人は、ビリー・アイリッシュやマーク・ザッカーバーグなどの、いわゆる正統な教育を受けていない人や、フリースクール出身者であったりする。異端と異能から成功者が生まれているのだ。日本でも藤井聡太氏が幼少期にモンテッソーリ教育を受けている。

彼ら彼女らが示唆するのはどのような教育が良かったかということではない。**公教育そのものの、つまり古くから続く学校で教えられる仕組みそのものを回避したことが良かったのである。**

画一的な教育から距離を置くことで、結果として、伸び伸びと個性を育むことができた。「教」は社会秩序を教えられるということであり、「育」は個性を育むことを指す。**古ぼけた「教」を回避して、「育」の意味する各人の思考力や構築する力を止めない環境をいかに作るか、ということが重要なのである。**

価値と信用がものをいう「インフルエンサー」

ヴァーチャリズムにおいては、ネットワークにおける影響力が新しい経済価値指標となる。

アテンションエコノミー（82ページ参照）において、企業やメディア、あるいはインフルエンサーはユーザーの注意を引きつけるための競争を行い、ユーザーの時間や注意力を経済的な資源とみなす。

近年、日本でも個人で多大な影響力を持つ「インフルエンサー」という言葉が一般的に使用されるようになった。一般に「インフルエンサーモデル」とは、社会的な影響力を持つ個人やグループが、自身のオンラインプラットフォームやソーシャルメディアを通じて情報や意見を発信し、他の人々に影響を与えることを指す概念である。

インフルエンサーは特定のトピックやテーマについての専門知識や熱意を持ち、大規模なフォロワーベースを持つ。彼らは自身の影響力を活かして、商品やサービスの宣伝、意見の発信、トレンドの形成など、様々な目的を達成するために活動する。

より根源から、カリスマと同義の意味でのインフルエンサーが有する影響力の価値が及ぼす構成要素として何が挙げられるだろうか。センスとプリンシプル（主義）、時代性、アウトルック、精神性、知性、デザイン……いくつか考え得るエッセンスはあるものの、いまだ決定的な因子は研究でも明らかにされていない。カリスマは必然・偶然、先天・後天、主体的・受動的なのかさえわからない。ただ、いずれもそれが強大な力を持つことがわかっている。

地道にネットワーク上に信用を積み上げてゆくことも可能だが、中途半端なものより、ぶっとんでいるもののほうがより強い。憧れを中核としたフォロワー経済が興隆する。ただし、それらの価値は安定しない。自分の価値と信用をネットワークの中にじわじわと編み込んでゆかなければならないのだ。

一発屋であってはならない。炎上もいらない。「人の噂も七十五日」ということわざがあるが、ヴァーチャリズムでは通用しない。未来永劫、デジタルタトゥーとして残り続ける。それでも人は、自分のフォロワーをヴァーチャリズムで作り続けなければならなくなる。

アテンションエコノミーの延長線上で、やがてインフルエンサーは個人通貨を発行する。**通貨（お金）とは、そもそも信用の土台がある者が発行する手形のこと**なので、基本、信用があり、その人の発行する手形が流通するのであれば、お金は自由に発行することができる。影響力のある人は、やがて気ままに自分の通貨を発行してゆくであろう。

実際、日本でもブロックチェーン技術を活用し、クラウドファンディング2・0と称した「F・i・N・A・N・C・i・E（フィナンシェ）」というサービスが、すでに個人やグループのトークン

（代用貨幣。ポイントのようなもの）の発行・販売を手がけている。

AIやロボットさえも通貨を発行する世の中へ

個人が通貨を自由に発行できるのは始まりに過ぎない。政府が発行管理していた通貨を個人や私的組織が発行するのは当然の流れとして、ロボットやAIでさえ、生産力や信用力があれば市場に流通する貨幣を自由に生み出し得る（次ページの図2－1）。

ヴァーチャリズムの世界では、ネットワークを維持・繁栄させるためのあらゆる行為に対して独自の対価（通貨・コイン）が発行され、支払われる。そして人々は自分のアバターや独自のAI、ロボットを操作して、その通貨を獲得するゲームをくり広げることになる。ここにきてようやく国家は、一体何が起こっているのかを知ることになるだろう。

ヴァーチャリズムの本質は、コンピュータネットワークを、機能ではなく社会（世界）へと進化させることにある。デジタル世界たるヴァーチャリズムにおける最大のポイントは、所有権やオリジナリティ、個性であり、私たちは評判や流行などで人々の注目が集まるアテンションエコノミーに備える必要があると言えるだろう。

図 2-1
個人通貨の発行／お金の土台は資源から国家、個人や企業へ

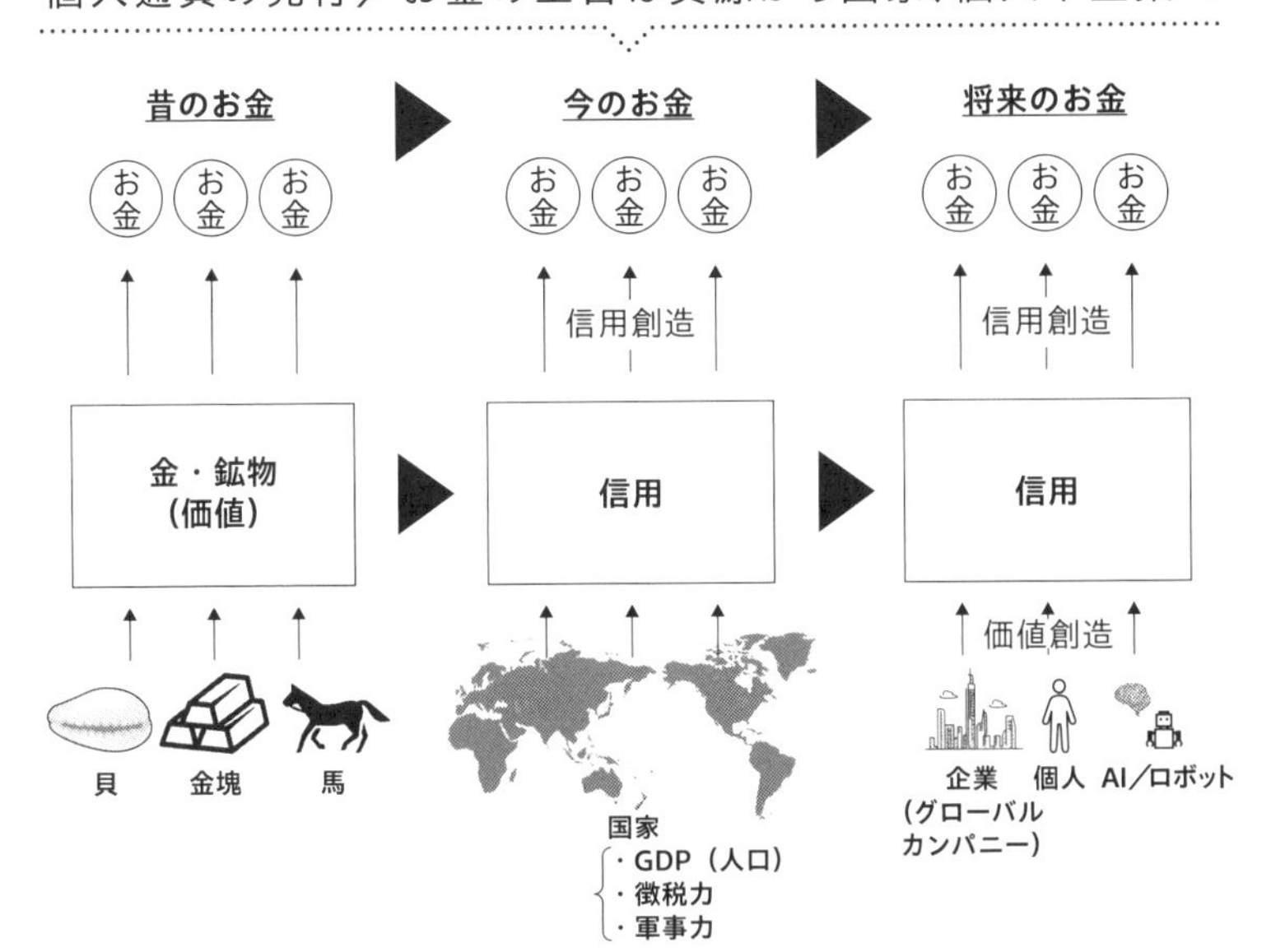

ヴァーチャリズムで求められる2つの能力

知識と偏差値の時代は終わった

ここまで、ヴァーチャリズムの基礎的な世界観や経済力学について説明してきた。そのうえで読者が気になるのは、その世界で自分自身がどう生きるべきか、あるいは、子どもにどんな教育を授けるべきかということであろう。ここからは教育について焦点を当てながら、ヴァーチャリズムでこそ「個性」が絶対的に求められる理由について探求してゆく。

教育の現場はとっくに教室から離れて、「遠隔・旅・場」の3つに分かれている。「遠隔」は知識、「旅」は知恵、「場」はコミュニケーションを育てる役割をそれぞれ担っている。

今まで通り、可愛い子には旅をさせよう。そして可能な限り教育環境への投資を行おう。本当のダイバーシティが備わり、おまけに語学というお土産もつく。

知識を巡る環境は様変わりした。従来の教育環境では、アカデミズムの世界である知識が発見され、そこから100年経ってようやく教育の現場に降りてきたけれども、これからは違う。アカデミズムでの発見は、すぐに市民に届けられる。しかし、これらの知識を授けるのは学校の先生ではなく、残念ながらYouTuberなどのインフルエンサーだ。彼らは厳しい競争市場にいるから、工夫を凝らしてシンプルにわかりやすく伝える努力を欠かさない。

その意味で、学校はいらない。場としての価値だけが学校には残る。足並み揃えてきた学校での知識教育は単純にコストの問題だったが、それもなくなる。個々人が勝手に遠隔で必要な知識を学び取る。

そもそも日本の今の知識教育が設計されたのは、福沢諭吉先生の『学問のすゝめ』が発端である。下級武士だった福沢先生は、家柄に関係なく秀才を要職につけた。教育機関のトップであり、富国強兵のための大学が今の東大だった（『風立ちぬ』の零戦作りがピークだった）。

かつては世界の大学ランキングトップ10にいた東大だが、近年はジリジリとその順位を落としている。イギリスの高等教育専門誌「Times Higher Education（THE）」が発表する2023年の最新ランキングでは29位であった。たしかに高度経済成長期までの日本ではマニュアル通りに答えを出して、淡々と作業をこなす能力が重宝された時代もあったのかもしれない。

しかし、知識と偏差値の時代は終わった。

頼れるのは「受けた愛情量」と「意識の制御力」

外国人登用など、ラグビー日本代表の戦略を10年前から仕込んだ故・平尾誠二氏は、子どもに教えるべきは、「好奇心と洞察力だけだ」と話していた。必要なのはまさにその2つだ。

お母さん・お父さんは大変だろうけど、ホームスクーリング（通学することなく家庭で学習を行うこと）がもっとも子どもに創造性を与えることは検証されているから、ここはぜひ腹をくくってとことん子どもと向き合ってほしい。

ホームスクーリングを受けた子どもは、学術的にも、学校に通う子どもたちに比べて質の高い友人関係を持ち、両親や他の大人たちとの関係も良好であることが示唆されている。

親が子どもにかけるべきは時間であって、お金ではない。子どもはかけた時間を親の愛に自然に転換し、記憶してゆく。受けた愛情は人生のセーフティネットになる。情報は瞬時に価値を失い、知識の賞味期限も短い。

頼れるのは知識ではない。人から受けた愛情量と自分の意識の制御力だけだ。

平尾氏が言う洞察力、好奇心は、まったくもって知識ではなく意識の問題だ。

意識は五感を超えた知覚を発揮する。それは、「想う、感じる、考える、観る」の四方向である。日々、意識の動かし方を練習することが成果につながってゆく。

意識が個性（天才性）を創る

子ども（に限らず）の個性（天才性）を綿密に見極め、その最先端への最短距離をサポートするのが親や周りの役目だ。くり返しになるが、旧来通りのコモディティ教育はいらない。

教育の語源はラテン語でＥｄｕｃｏだが、これは、個性を導き出すということに他ならない。アイヌの人々は6歳頃になると、その個性を見てはじめて本当の名前をつける。それくらい個性（天才性）に立脚する生き方が大切ということだ。

教育の「教」は社会秩序、「育」は個性、合わせて教育だ。だが現実を見よ。多くの若者が社会適合できずに会社、学校を辞めて引きこもっている。半分も社会適合できていないし、それで自責の念を持つ必要はまったくない。日本の社会の仕組みは変わるし、それを是として生きてはならない。

日本は小さな島国に過ぎない。その社会秩序はますます小さいし、教え込むべきではない。あくまで**個性に立脚した生き方を自分で設計することに注力することだ。**皆が世界を舞台にしたライフアーティストにならなければならない。

大人も子どもも今は一旦足を止めて、創造力をもって世界とその未来を眺めるべきだ。

「習い事」というDV(ドメスティック・バイオレンス)

では、創造力はどうしたら養えるのだろうか。親が子にできることを考えてみよう。
子どもにお金を与えてはならない。**与えるべきは、環境と栄養と愛情の3つしかない。**
親は子どもをしつける必要があるが、教育してはならない。教育に関して親は素人であり、偏見とエゴを押しつけてしまう危険性のほうが高い。「習い事」がその典型である。

バイオリンとバレエはポピュラーな習い事だが、残念ながら絵(アート)と異なり、音楽的才能の80%は遺伝であり、バレエの成功は骨格で決まる(だからロシアでは、早い時期に子どもにあきらめさせる)。先生の生活を支えるために生徒は嫌々レッスンを続け、無駄な時間と親のお金を費やすことになる。もちろん、バレエやバイオリンの習い事を否定してはいない。ただ、個性に適合しないのはつらいというだけだ。合わない習い事をすると、子どもの記憶の奥底に、罪悪感と無能感とトラウマが溜まり続ける。

私に限って言えば、子どもの頃から絵を描いて釣りをしていれば幸せだった。だが実際には、ラグビーと空手と水泳と書道と算盤と英会話とテニスとバスケと乗馬と夏期講習と、おまけに夏休みはアメリカンスクールのサマーコースに通った。残念ながらそのすべてがトラウマであり、時間の無駄であった。スパルタ指導とアメリカ嫌いを克服するまでに十数年を費やした。

時に親は狡猾（こうかつ）であり、子どもは弱者である。習い事はDV（ドメスティック・バイオレンス）となり得る。親は自分（がやりたかったこと）を投影し、社会関係を勝手に解釈して子どもに勧める可能性がある。もちろん、親を責めているわけではまったくない。自然にそうなってしまう危険性があると言っているだけだ。

親がやるべきは、子どもの個性の精緻な観察であり、その天性に準じた環境の設定である。決定権はドイツの学校経営のように、子ども（生徒）、親（PTA）、第三者（教師）が3分の1ずつ持たなければならない。親はわずか3分の1しか議決権がないと肝に銘じてほしい。意外と冷静かつ客観的に子どもを観察して正しい方向に導いてくれるのは、実は親ではなく、適正な距離を保った「近所のおじさん」や「親戚のおばさん」である。

私の場合は、父の経営する工場で働いていた「中村さん」だった。中村さんは予備校の教師もしており、私が麻疹（はしか）で中学校を休んでいたときは数学を教えてくれた。さらに高校を卒業後、釣りばかりのニート暮らしをしていた私を特待生待遇で予備校に通わせてくれた。そのため私は半年後に予備校の名前のついた大学の学部をすべて受験させられ、予備校の大学合格者数の底上げに寄与する羽目になったが、人生はつながった。中村さんは恩人である。

親が大変なのはわかる。栄養と愛情を与えるだけで精一杯だし、小さなモンスター（子ども）は仕事の邪魔ばかりする。熱も出す。しかし、資本主義と損得感情にまみれたこの異常な社会において、唯一、愛そのものと断言できる神さまからの贈り物（天使）だ。決して生き方も在り方も押しつけず、そっと見守り続けよう。

コピー可能な世界でこそ輝く「圧倒的個性」

すべてデジタルで構成されたヴァーチャリズムの世界では、容易にコピーが可能である。あらゆるものがコピー可能なデジタル世界において、もっとも重要なことは、圧倒的個性（オリジナリティ）である。ヴァーチャリズム世界における最大の課題は「オリジナリティ」と「所有権」をどう守るのかである。ブロックチェーンを含む技術のほとんどが、オリジナリティと所有権を担保するために行われている。これはデジタルの宿命である。

ここで私たちは「個性とは何か？」を解きほぐして考えなければならない。

人の個性を語るとき、どのようなことを考えるだろうか。まず身体的特性、思考・精神的特性がある。ヴァーチャリズムにおいて、アバターのように身体的特性が自由に変えられるのであれば、個性の中心は思考・精神的特性へ移る。つまり、**何を知覚し、どう捉え（感じ・考え）、どのように咀嚼し（認知）、どのようにその世界を表現（反応）するのかが重要になる。**またそのくり返しパターンの一貫性がより個性を強化する。**個性とは、「個人の世界観をクリアに表明すること」である。**

難しい話に聞こえるかもしれない。これまで私たちは自分の個性（つまり知覚から反応のパターン）を明確に認識してこなかったからだ。私たちが住み慣れてきたキャピタリズムの世界では、個性よりも社会性が重視され、大量生産品を機械的に生産する労働者として生きることが望まれてきたからに他ならない。しかし、ヴァーチャリズムの中で生きるのであれば、自らの個性を改めて明示的に棚卸しなければならない。

なぜならヴァーチャリズムの世界では、くり返しになるが、社会性よりも個性と創造性に価値があるからだ。この世界は基本的に無国籍であり、様々な世界が多数存在する。そのためあるコミュニティから出たとしても、また別の世界へスイッチすることが容易にできるのだ。

重力があり、土地から出るのが難しい現実世界の国とは異なり、人は軽やかに自分の所属を変更することができる。現実世界では出生と同時に所与の条件（親、出生地、身体的特徴など）が運命づけられているが、ヴァーチャリズムの世界には存在しない。出る杭となって打たれることを恐れる必要はもはやなくなる。同時に、物理的に世界を飛び回る必要もなくなるのだ。**自分の個性だけが、ヴァーチャリズムを自由に、かつ楽しんで生き抜く指針となる。**

Column

生涯学習の必要性

以前、医大と美大の受験のために予備校に足を運んだことがある。できるだけ外見を整え、清潔感と爽やかさを装ったが、受付は終始不審がり、美大予備校に至っては、入学は35歳までと断られた（2024年2月現在、年齢制限は撤廃されたようである）。

何ということか……本当の真善美など、豊富な人生経験なくしてわかるものだろうか。美術はもっとも生涯学習に適しているのだと思うのだが、その機会を大人に与えないのはいかがなものか。「カルチャースクールはどうか」と言われたがとんでもない。お遊びにもつまみ食いにも興味はない。私は常に基礎と本質から始めたい。それに芸大は子どもの頃からの夢だった。

また医学部ではいまだに医師を養成することが前提で、正確な医学の知識を蓄えた事業家を育てる気はないらしい。臨床現場は大事だが、この国の医療費50兆円という税金をどうやって2分の1にし、効果を倍にできるかを構想し、社会実装するのは事業家の役目であり、その事業家が医学を芯から学ぶことに意義はないのだろうか。

この国の生涯学習は終わっている。

私は別に苦労したくないわけでも、社会人だからゲタを履かせてくれとも言わない。ただ、何事もきちんと基礎と本質を知りたいだけだ。自力で本当にやりたいことをやれるまでにはそれなりに時間がかかる。

スキルも時間もでき、さて、いよいよ本当にやりたいことをしたいというときに年齢で蓋をされるのは心外だし、そのような者を嘲笑するあの陰気な予備校の空気にある種のおぞましさを感じた。「大学は18歳のもの」という考えは、100年時代のエイジレス・ソサエティを阻害する不可解な幻想であり、大いなる矛盾だ。

《シェアリズム》

第3章

自然のリズムで人々が協力し、土地に根ざして生きる世界

画一化と汎用化を目指すキャピタリズムから脱出し、個性と創造性の発露を目指して人々はヴァーチャリズムの世界に溶け込んでゆく。だが、それだけで人類は「補完」されるだろうか？　私たちが本当に求める「豊かさ」とは何だろうか？　「関係性」と「身体性」の回復を目指す世界である「シェアリズム」にその答えを探ってゆこう。

「富の追求」から「豊かさの追求」への転換

ボーダレスワールドからバーティカルワールドへ

1600年の東インド会社設立から400年強をかけて人類は世界の隅々まで探索し、地球の表面からミステリーは消えた。世界のあらゆる人々の間で度量衡（どりょうこう）が共通となり、どんな人でもアルファベット表記の名前を持つようになった。そして、すべての民族がお金を通じて最低限の価値交換を行うようになった。

少なくとも土地固有の文化や歴史や価値観を除けば、世界が一つにつながったと言える状態である。そして〝me too〟などの運動に見られるように、価値観さえも統一しようとしている人類は今、民族を捨てて均一化しつつある。まるでイナゴの大群のように無個性に。

資本主義は便利なツールだった。匿名化されたマネーというエネルギーを集約し、集中投下して製品を大量生産し、それを地球上に流通させる。その一連の流れがメインとなる時代が500年続いた。結果として、何度も述べてきたように世界はコモディティ（マクドナルドとスターバックス）で溢れ、言うならば、人々は安易で薄い人生を送ることになった。世界のすべてが同じ色に染まることで、おまけに地球環境は末期的な状況に陥った。

こうした「ボーダレスワールド」の完結とともに新しいパラダイムが生まれつつある。それが、「バーティカルワールド」というコンセプトである。

バーティカルワールドとは、地球の中心から地表を経て、天空へと垂直に伸びる世界のことである。これまでのボーダレスワールドが地球の表面をつなぎ合わせて一元化するのに対し、バーティカルワールドは、地球のコア（核）から宇宙へ伸びる線に一貫性を持たせる考え方である。具体的には、各土地について地球のコア（核）に近い部分から地殻・地質・気候・風土・土地の記憶（歴史）・動植物・人の性質・生活文化・産業・制度といったレイヤーを統合させて考える（次ページの図3－1）。

ボーダレスワールドは貿易を通して富を生んだが、世界を均質化し、固有の文化を漂白化してしまった。すべての土地にマクドナルドとスターバックスを植えつけ、各土地にあった美しさと豊かさを洗い流してしまったのだ。

バーティカルワールドとは、富を追求するのではなく、土地の固有性をつぶさに見て、そこに調和する生活・産業・制度を整えることで豊かさを追求しようというコンセプトである。

図 3-1

ボーダレスワールドからバーティカルワールドへ

水平流通から富（wealth）が生まれ、
垂直統合から豊かさ（wellness）が生まれる

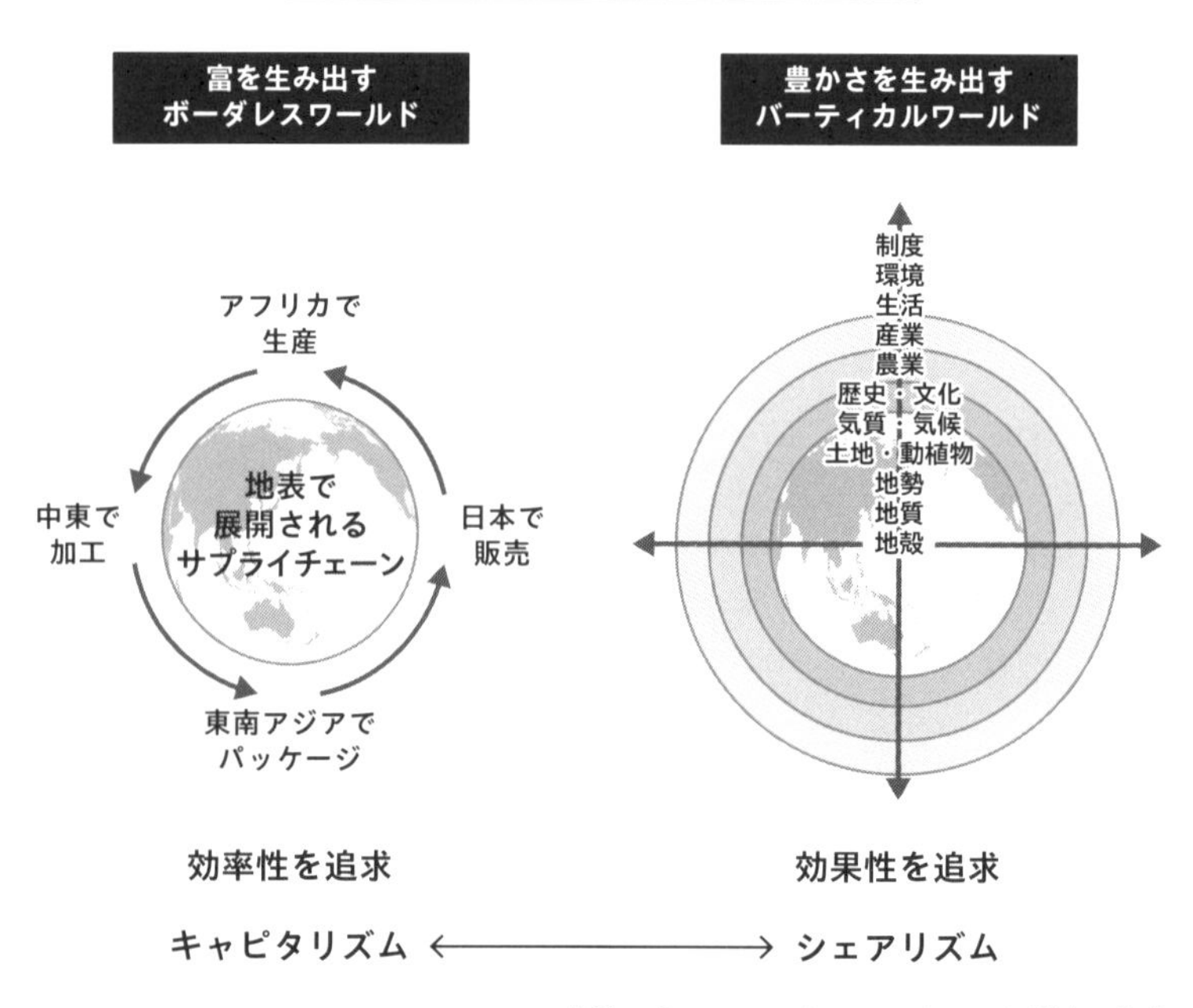

効率性を追求　　　効果性を追求

キャピタリズム ⟷ シェアリズム

出所：ブルー・マーリン・パートナーズが独自に作成

私たちが求める「本当の豊かさ」とは何か？

とはいえ、バーティカルワールドが希求するものは、必ずしもボーダレスワールドの世界観を否定するものではない。マット・リドレーが『繁栄』（早川書房）で述べたように、人間の繁栄を支えてきたのは「分業」と「交換」である。人々はそれぞれの土地の交流と貿易によって富を創り出してきた。

その**ウェルス（wealth 富）を生むのがボーダレスワールドとすれば、ウェルネス（wellness 豊かさ）を生むのはバーティカルワールドだ。**これまでの世界は、地球の表面をぐるりと世界中をつなげることによって、分業と生産性の向上を成し遂げることを目的とした。

有名なジョークに、「製品とは、ドイツ人が発明し、アメリカ人が製品化する。イギリス人が投資し、フランス人がブランド化。イタリア人がデザインし、日本人が小型化と高性能化に成功させて、中国人がパクリ、韓国人が起源を主張する」というものがある。このジョークはボーダレスワールドの動態をうまく言い表している。

ボーダレスワールドは効率性を追求し、バーティカルワールドは効果性を求める。地方創生・地域開発の文脈において、地産地消という食にまつわる実践をより本質化させ、多義的に適用可能にするのがこのバーティカルワールドの考え方である。

キャピタリズムの先に私たちが求める豊かさとは何か？　それは、**身体性（健康）と関係性（つながり）の回復であろう。**

身体性(健康)を回復させる知恵

都会に暮らす人が気づいていない〝健康の本質〟

身体性の回復について考える際に必要不可欠なのは、「健康」を形作る要素である。

都会に住む多くの人々は、健康を維持するため、五大栄養素に気を配ってサプリメントを服用しながらプロテインを飲み、ジムやサウナに通っている。彼らには、「健康は、それに寄与する栄養や運動などの要素を取り入れることで実現する」という前提がある。


だが、本当にそうだろうか?

たとえばジムのランニングマシンで運動する人々は、運動という要素を取り入れているつもりだろうが、実際に街中を走ったときの身体に対するフィードバックとはまったく異なっている。街中、とくに山や川沿いなどを走った際には、足が接する地面の様子は落ち葉や倒木、石ころなどの様々な刺激がある。また、森を走り抜ける際に感じる雨上がりの大地の匂いや、咲き始めた金木犀の匂い、頬がしっとりとする体感まで、ジムのランニングマシンで得られる数百倍の刺激が訪れる。

健康というのは、その心身に訪れる刺激の種類と頻度、そしてそれらを身体が受け止め、反応することとの連続によって形作られる。栄養素においても、ビタミンCやBなどの求められる量の多い栄養素ではなく、それ以外の微量栄養素のほうが、健康にとって重要であることが明らかになりつつある。**要素を取り入れることよりも、要素と要素の間にある微量の成分によって、健康は保たれているのである。**

ここでいう「間にある要素」とは、人々が普段気にも留めない空気や水、他者の目線や土の中の微生物などである。こういう意味において、土地と離れて生活しながらも、長期的な健康を維持してゆくことは困難なのだ。

都会でもたらされる健康は、地表20メートル以内に存在する自然や人とのつながりが保たれた環境の中でもたらされる健康とはまったく質が違うものである。

健康とは、要素を添加して得られるものではなく、空間や食べ物に含まれる複合的な作用によってもたらされるものだからだ。

私たちは土から離れては生きてゆけない

産業革命以降、人々は先祖代々が生きてきた土地を離れ、仕事を求めて都会に出てきた。アスファルトで固められた地面の上を歩き、スーパーで野菜を買って食べる生活は、人にとっても地球にとっても持続的ではないことが少しずつ明らかになってきている。

今のアメリカ人が行っている暮らしを地球に住む人間全員がしていくと、地球の持続可能性が破滅的に損なわれるのは想像に難くないだろう。また、太陽を浴びなければビタミンDが生成されないように、私たちは太陽から離れては生きてゆけないのである。

では、私たちが土から何を得ているのかというと、端的に言って「幸せそのもの」である。

2007年5月、米学術誌『神経科学(Neuroscience)』に掲載された「免疫反応によるセロトニン作動システムの発見」によって、セロトニンと土壌内の微生物の関係が発見された。この研究はマウスを用いた実験で、土壌中に含まれる微生物により、セロトニンが活発に放出されることが実証された。

セロトニンは通称「幸せホルモン」とも呼ばれ、気持ちが元気になったり、物事を前向きに考えられたりする作用がある。「うつ」症状のある患者に泥んこ遊びをさせ、土に含まれる微生物の働きでセロトニンを分泌させることで、症状を改善させる方法が試みられているほどである。

このように、人間は土に触れることで、幸せを感じるために必要不可欠なホルモンが分泌される。泥んこ遊びに限らず、園芸などの土いじりでも十分に土壌菌を体内に取り込むことができるようである。**私たちは、土から離れて生きてはゆけないのだ。**

ダイレクトに土を食べる習慣を持つ国も存在する。人類が土壌を摂食する文化は世界各地に分布しており、消化作用の促進、滋養強壮、解毒などの効果があるとされている。

フランス料理には煮込んだ土にルッコラの根を添えた「土スープ」という料理もある。これらの料理は、近年では提供が減ってきているものの、山間部で塩が不足する地域などにおいて簡単に栄養素を摂取できるようになるまで、ミネラルの補給のために時折取り入れられていた。

土には、食べる以外にも、触れることで炎症を抑える作用があることでも知られている。

人の体は常に電荷を帯びており、それによって神経系は情報伝達を行っている。その情報伝達が、電子機器などの作用によって電荷が溜まりすぎ、慢性的な炎症などを引き起こす。その解決手段として、人体が地面に触れることを**「アーシング（グラウンディング）」**と呼ぶ。このアーシングは、研究者や健康に関心が高い一部の人々の間で注目されている。**地面から体内へ、マイナスの電荷が入り込むことで、体が帯びてしまったプラスの電荷を中和させるのだ。**

長寿のカギは「海」？

人体に良い影響を及ぼす効果のあるものとして、土の他に「海」も知られている。これは、人類文明の黎明期から経験知として知られていることだ。

古代ギリシャの医学の祖・ヒポクラテスも海を治療に使っていたし、日本の海水浴ももとは「潮湯治（しおとうじ）」と呼ばれる民間療法だった。現代でも海洋療法はタラソセラピー（Thalassotherapy）と呼ばれ、先進国のフランスでは一部保険適用されるなど、現代西洋医学との融合も図られている。ちなみに世界の五大長寿地域を調べると、そのうち4つの地域が海に面していることもわかってきた。

新しいターザンこそ21世紀のヒーロー像である

数年前、映画『ターザン：REBORN』の感想を求められて次の文章を寄稿したことがある。

あれから時が経ち、現在私が考えているのは、「都会」か「自然」かの二項対立ではなく、その二つが有機化された、まったく新しい都市の再設計である。

この映画に登場するターザンは21世紀の新しいヒーロー像であり、我々の知っているターザンの物語ではない。

ターザンといえば、僕らの世代が記憶しているのは、『アー、アアーー』と叫びながら木から木へと飛び移る原始人のイメージだ。裏庭の森やジャングルジムでターザンの真似をしては、ずっこけて笑い合っていたのが小学生のときの良き思い出である。

多くの人が住んでいた当時の郊外は、まだ家もまばらで森が広がっていたし、そんな時代にはターザンのように、ジャングルでも生き残ることのできる肉体的な強さ、つまりサバイバビリティがヒーローの証だった。同時期にヒットしていたポパイも同じ強さと勇気を持っていた。

さて、時代が下り、経済成長に比例して郊外の森林は切り崩され、団地が次々と建ち並んでいった。身近なジャングルは姿を消した。僕たちは受験戦争と就活難をくぐり抜け、新しい生活を求めて都会に出て行った。頭が良く、カネを持つものが偉い、それが都市のルールだ。いつしか肉体的な力を軽視するようになった。

土に直接触れることも、大地に足をつけて歩くこともなく、アスファルトの歩道を通って高層ビルとマンションの往復の中で体に電磁気を帯びながら、とても便利で、とても不健康な生活を送っている。

僕たちは物質的な豊かさに囲まれて、もはや餓えて死ぬことはない。つまり生存欲求は満たされている。満たされていないのはむしろ承認欲求だ。言い換えるなら、自分が自分である感覚だ。日々、余剰なモノに囲まれながら、資本に飲み込まれることを恐れ、AIがいつか人間を超える日、つまりシンギュラリティ問題を恐れながら生きている。数字と機械が自分を飲み込んでゆくのに怯えながらも、都市生活が与えてくれる刺激でその不安を紛らわせて暮らしている。もう森でターザン遊びをしたことはすっかり忘れている。

僕たちが知っている昔のターザンは、ジャングルで生まれ育ち、そこで生きた原始的ヒーローだった。

ところがこの新しいターザンはまったく違う。都市で生活し、都会で成功したうえで、〝あえて〟ジャングルに戻るのだ。新しいターザンは、英国貴族で、美しい妻を持ち、端正な顔立ちと強靭な肉体、知性と教養を備え持つ。彼は、今の人々が憧れるすべてを持っているように見える。その彼が求めるものは、一周回って、**あえてジャングルへ戻ること、原始的（プリミティブな）環境の中で、本当の人間性を取り戻すことなのだ。**そしてそれは現代を生きる僕たちすべてが心の中で欲しているもののように思える。
現在我々が心の中で本当に求めているのは、カネではない、モノでもない。「いいね！」で満たそうとする薄っぺらい承認欲求でもない。機械化され、数字化されるこの抽象化された世界において本当に求めているのは、生きている実感と身体性の回復なのだ。だからこそ新しいターザンは僕たちの新しいヒーローなのだ。

これからの働き方に欠かせない「3つのキーワード」

これからの働き方のヒントになりそうな事例として、ある花山椒（はなさんしょう）農家の生き方を取り上げたい。彼は2021年、働き方の未来を考える「Work Story Award」の中で、私が審査員特別賞として選出した方である。

選出した理由として第一に、仕事と生活が「融合」した彼の生き方がある。

これまでの私たちの価値観では、「仕事」と「生活」が二項対立で分けられていた。仕事の時間は基本的にマイナスであり、その疲労を生活や娯楽のプラスで埋めるという考え方が主流であった。が、この考え方に終止符を打ちたい。**今後は仕事も生活も地続きにあることが大事**

になる。そのため、仕事の定義を金銭獲得労働ではなく、自分の価値観と才能に基づいた貢献作業に変えなければならない。こうした価値観をすでに体現していたのが第一の理由だ。

第2に「バリューセリング」。彼は花山椒の生産量ではなく、ブランド価値を上げることにフォーカスし、青山のフロリレージュ（当時20代女性に人気の高かったレストラン。現在は神谷町に移転）に高値で提供していた。

土地に根ざした生産者が高価格を訴求するのはとても難しい。なぜなら土地からの収穫物はある種与えられた恵みであり、それを人為的に高い価格で販売することは倫理的な矛盾を抱えるからだ。これを実現するには、高度な知性と、成熟した精神がなければできない（日本の観光業でも同じことが言える）。高値の結果として、高いマージンを得られれば生活や時間に余裕ができ、将来への投資が可能になる。

3つ目は、彼が仕事を複合的に行う「コンプレックスワーカー」だからである。彼は山椒だけではなく、同じ畑で採れる、収穫期の異なる桑の葉茶の栽培を仕掛け、かつ農閑期には庭師の仕事もする（ちなみに元自衛隊員とのこと）。

2012年にCity&Guild社が実施した調査によると、庭師は職業幸福度ランキング1位で2200人の対象者のうち87%が幸福だと答えている職業である。やはり人に喜ばれ、土と花に囲まれることは、幸福にとって良いことのように思える。ちなみに銀行員の幸福度は44%で最下位、庭師の半分ほどである。

このワークインライフ（仕事と生活の融合）、バリューセリング、コンプレックスワーキングの3点は、新しい働き方をするうえで大切なキーワードになっている。

先ほど、「ターザンは都市で生活し、都会で成功したうえで、〝あえて〟ジャングルに戻った」と書いた。ふるさとは自分が産み落とされて根づいた場所であり、植物のようにその記憶を身体にしみ込ませている。

ただし、ターザンのように、時には自分にとって最適な場所（緯度・経度）を探さなければならない。10代から20代にかけて地球をくまなく歩くことが欠かせない（もちろん年齢を重ねたとしてもだ）。そこで自分にとっての最適な場所を見つけることが大事だと思うのだ。そのうえで、ターザンのようにふるさとに戻ってくることは、一つの選択肢になるだろう。

関係性（つながり）の回復に不可欠なこと

「お金より時間」という価値観

シェアリズムにおいては、お金に対する捉え方がまったく異なっている。そもそもお金は相対的に語るべきものである。お金がない人にとって、お金を得ることはとても価値がある。一方でお金持ちにとっては、よりお金を使わないように工夫する生活が、実は豊かな時間を生む。

新型コロナの流行を背景に、２０２０年くらいから人々の価値観に大きな変化が起こった。それは「時間濃度」という概念の表れである。豊かで濃厚な時間、時間の密度の高さこそが人生でもっとも大切であるという価値観が表出してきた。

時間の豊かさを担保するものは、自然や身近な人との触れ合いや関係である。経済システム（価値交換システム）の中で、匿名資本たるお金を使うことは矛盾を引き起こす。お金は、文脈やつながりを匿名化し、断ち切ってしまうからだ。**お金は豊かさのために使うものだが、使**

えば使うほど、逆に人と人との距離が遠くなるという矛盾が起こる。

豊かさの本性は「時間の密度」にある

平成が空間の時代だったのなら、令和は明らかに時間の時代だ。

平成のビジネスの目的は、距離という概念をゼロにすることだった。主役はインターネット、そしてＬＣＣ、新幹線のオペレーションが究極的に進化したのも平成だ（余談だが、新幹線の恐ろしさは車体の精巧さではなく、完璧なタイムマネジメント、そして天災や事故などのリスクマネジメントにある。ヨーロッパのＴＧＶもすごいが、あれは先頭車両が後ろの客車を引っ張っているに過ぎない。新幹線はほとんどの車両が駆動している）。

平成とともに始まったインターネットが牽引した、距離を問わないコミュニケーションは、コロナショックによる完全遠隔業務でとどめを刺した。

もはや東京の会社に在阪のまま就職し、定年まで勤め上げることも可能になった。これから人々は暮らしと労働を完全に切り分けて、前者はよりフィジカルに（風や波を感じる）、後者はよりヴァーチャルに（ネットやデジタルで完結させる）なってゆくだろう。

人類は距離を克服した。人類共通の敵として世界を一つにしたのだから、コロナは皮肉なものだ。人々の心の距離も縮まりつつある。残念ながらそれは同時に、土地が持つ独自性や民族の価値観・文化も一元化させてゆくだろう。

距離を克服した人間の関心は、自ずと時間に向かう。すなわち時間という誰にとっても絶対軸であったものが変形し、歪み、伸縮性を持つということだ。

少々話が難しく感じるかもしれない。しかしたとえば、「人生100年時代」といわれて久しいが、そんな虚構を信じている人はいないだろう。人生の濃度（密度）でいえば、最初の50歳までが8割、残りの100歳まではせいぜい2割の濃度しかない（次ページの図3－2）。

想像してみてほしい。10歳の頃の記憶はそのすべての日々が瑞々しく鮮やかに思い浮かぶが、40歳の頃の記憶など、3つも思いつけばいいほうだ。海馬に蓄えられている記憶の量からしてその程度のものなのだ。要するに、**人生は年齢ではなく、その密度の積分である。**坂本龍馬や三島由紀夫が崇拝されるのも、短く太い人生を生きたからだ。

フランスの哲学者ポール・ジャネは、「生涯のある時期における時間の心理的長さは年齢に反比例する」と言った。**人生とは時間の長さだけでなく、その密度が大事であり、それこそが豊かさの本性である**と彼は喝破したのである。

図 3-2

年齢別・時間の濃度

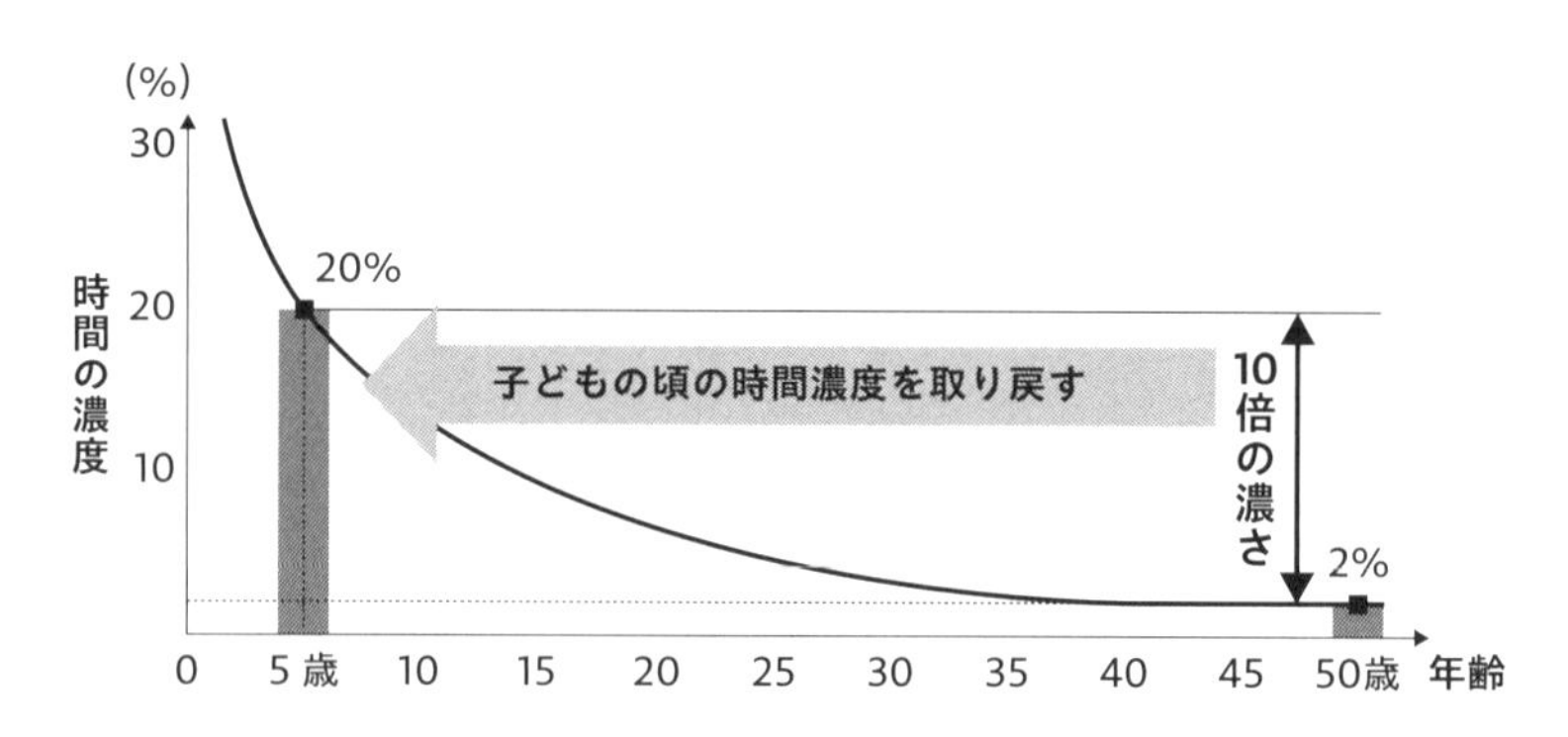

19 世紀のフランス哲学者ポール・ジャネは、
生涯のある時期における時間の心理的長さは年齢に反比例するという
理論を発案した。
この法則から考えると、5歳の1年は 50 歳の1年の 10 倍の濃さがある。

「意識」を意識することが時間の密度を高める

お金持ちは、医療によって200歳まで生きられるようになるかもしれない。

だが、時間の密度はどうだろうか。密度が高いことは直接的に幸福につながるとは言えないが、相関は大きい。**幸福の要諦は「一体性」である。期待と実態の一体性、人とつながり笑い合い、悲しみ合う一体化の中にある。それは密度の濃い時間に近いとも言える。**

布団屋の謳い文句はいつの時代も、「人生の3分の1は寝ているのだから、寝具には金をかけろ」だ。だが、この文言がうさん臭く思えるのはなぜか。意識を制御できない睡眠の時間がどれほど長かろうが、それほどの価値はないことを我々は直観しているからだ。

では、どうすれば時間をねじ曲げ広げ、縦横無尽に人生を味わい尽くせるのだろうか。

鍵を握るのは「意識」である。**我々は「意識」を意識しなければならない。**

「意識」という代物は高速で動き回る、まるで制御の利かない暴れ馬のような存在である。その意識を「留める」のが悟りであり、リトリート（20ページ参照）である。もしくは**意識の焦点を他人に当てて相手の心を敏感に感じ取ること、意識をはるか上空に揚げて世界を俯瞰し、**

概念やイメージとして捉える思考力、意識を環境に向けて風や波や自然の営みを感じ取ること、その微細で大胆な意識の使い方が時間の密度を高めることにつながる。

瞬間瞬間の悲喜交々のあらゆる体験が、硬いレンガのように重なり合って重層な人生を作り上げる。時間はお金で作り出すこともできる。だが、活発な意識は、それ自体をお金で作り出すことはできない。

「誰と会うか」の選択が幸福に直結する

この時代、人は人を選ぶ。会う人、過ごす人、職場（の人）、すべてをわがままに選択するようになる。なぜならそれが、時間の密度という幸福に直結するからだ。

嫌な顧客に営業することもやめる。たとえ大金をもらえても、人々はそれよりも豊かな時間を選ぶだろう。掘建て小屋の中で自分の好きな物と好きな人に囲まれる生活を選ぶ。教室で机を並べるようなバカバカしいことはなくなる。興味（意識）の方向性も知覚の繊細さも、個人でまったく異なる。その平均の時間を過ごすような無駄はしない。残念ながら離婚も増えるだろう。だが、仮に婚姻制度が破綻しても、賢い人は一人のパートナーとの長期的関係が指数関数的に時間密度（幸福度）を引き上げると知っているから、丁寧に関係を育ててゆくだろう。

意識は人（や親）から受け取ったバトンであり、次へ渡すべきギフトだ。

時間が歪むなら、新旧の何を大事にするかということも変わる。一般的にアジアでは、目に見えない五感以上の知覚を大事にし、欧米ではきちんと言語化することが良いことと思われているが、欧米の欧（ヨーロッパ）はより古いものを大切にし、米（アメリカ）はより新しいものを評価する傾向がある。

しかし時間が歪むなら、これらの文化的傾向はどう変容してゆくだろうか。その過程を想像するのはとても面白い。いずれにせよ、時間の時代は、目に見えにくいものに価値が移るからこそ興味深いものになる。そこには資本が介入しにくいからなおさらだ。

話は尽きないがまとめよう。

時間の密度は幸福へ直結する。そして幸福の本質は主観にある。したがって人々はＫＰＩ（Key Performance Indicator の略。「重要業績評価指標」とされる、いわば中間目標のこと）を独自に設定し、それに基づいて生きる。それが短い人生なのか、長生きなのかは関係ない。

令和の時代、時間はもはや人々にとって一定でも平等でもない。それは個々人にとっての「密度」という点において、まったく異なるものとなるだろう。

「国」よりも「コミュニティ」の選択を

「家族を持つ」という贅沢

2ページ前で婚姻制度について言及したが、現代最大の贅沢品は車でも家でもなく「家庭」を持つことである。

2040年には、家族の平均構成人数は2・1人（！）となり、空き家率は25％となる。つまり家は安くなり、家庭は高くなる。

中国のことわざに、「お金で家は買えるが家庭は買えない」というものがあるが、皮肉にもそれが現実化しつつある（もちろんことわざの意味するところは、お金で愛は買えないということだ）。

これからは「シングル」「カップル」「ファミリー」「コミュニティ」の4つのカテゴリーのうち、生活様式がいずれかにカテゴライズされる。「今だってそうじゃないか」とのツッコミが聞こえてきそうだが、意味が全然違うのだ。シングル（1人）とはすなわち孤独層であり、カップル（2人）はファミリー（3〜5人）より劣ると見られるだろう。シングルがカップルやファミリーへ出世することは不可能であり、残る道はコミュニティ（5〜15人）暮らしの一員となることだ。この4つが25％ずつを占めるのが、これからの世界である。

いわゆる「寮」から「シェアハウス」へ進化した共同生活は、これから「コンセプト・ハウジング」としてより分化してゆく。つまり、シングルマザーハウス、アーティスト・イン・レジデンス、ペントハウスにパトロンが住み、防音設備とコンサート場が設けられた音楽家ハウス、敷金と礼金がなく、カード決済で家賃が引き落とされるインターナショナルハウス、シェアオフィスに住宅機能がついて仕事に特化したオフィス・ハウジング、遠隔業務に適した書斎付き2LDK、難関女子高出身者が最終的に同居して生活する同級生コーポラティブハウジングなどがある。ここでは、30代半ばくらいから独身を貫くことを前提に、仲の良い同級生たちが（時には学校を巻き込んで！）積み立て貯金を始めている。このように、コミュニティ生活は多様化する。

生活の幸福度でいえば、シングルは長期低迷、カップル暮らしは長期的には停滞、ファミリーは長期的に関係が成熟して幸福度向上、コミュニティはボラティリティ型（振れ幅が大きい）となるだろう。個人的にも社会的にも、このような生活様式に対する備えが必要だ。

コミュニティに関して言えば、これまで散々、信用社会や関係（ピア）経済、時間通貨や記帳主義について記述してきたが、そろそろ皆、コミュニティの選択とコミットが迫られる。その選択肢におそらく「国」はないだろう（次ページの図3－3）。


1300兆円（コロナでさらに100兆円追加？）の負債と冗長な行政システム、リーダーシップなき立法府、癒着と忖度で信用を失いつつある司法にはコミットしにくい。

結局、日本は都市国家型で、知事か豪族を中心として各地域が5～7つに分かれて自立・独立してゆくだろう。

その連携として日本連邦（ＵＳＪ：United states of Japan、詳しくは226ページのコラムで説明）として成熟する。地域的にそのどれかには属さざるを得ないし、結果として人間の幸福度は天候でも宗教でも貧富でもなく、コミュニティへのコミット度合いと、コミュニティの個人の生き方への寛容度の掛け算でしかない。


コロナで自粛する中で多くの人が生き方を見直したと思われる。「今の仕事でいいのか？」「本当に選びたかった人生は？」「将来、日本に住み続けたいか？」と。

図 3-3

世帯構造別人口の推移

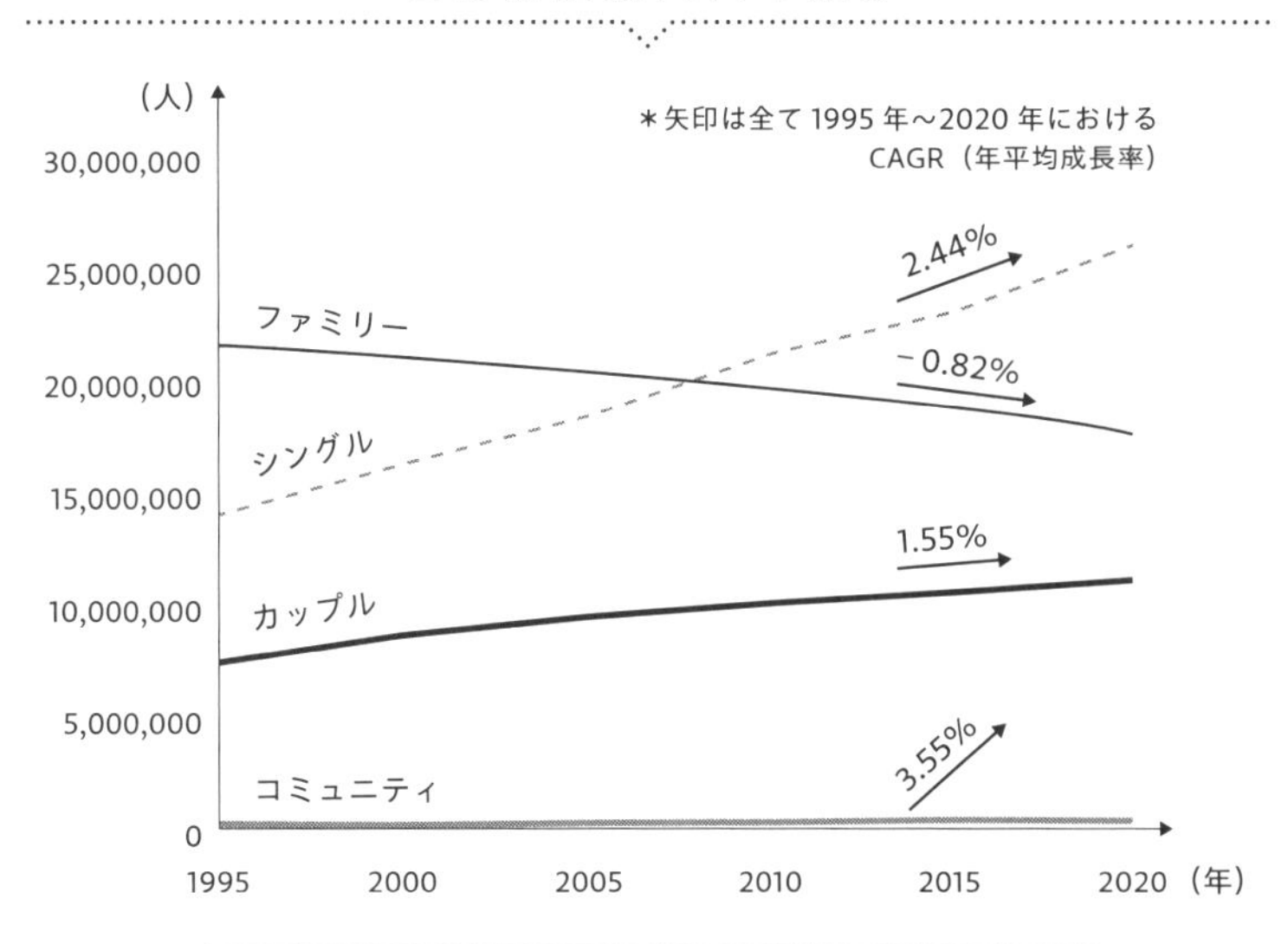

シングルとコミュニティが増加し、
ファミリーとカップルが低迷・減少している

出所：総務省『国勢調査 時系列データ 世帯（世帯の家族類型，一般世帯人員）』

序章でも少し触れたが、ベネッセの調査によれば、80%の親は子どもをグローバルな人間に育てたいと考えている。沈没する船から逃げたいという本音だろう。日本はこれから先どうなるかわからない。でも、日本人は残るし、コミュニティも残る。

今考えるべきは、日本社会と政治批判ではない。それらは考えるに値しない、薄く滅び去る中間概念に過ぎない。コントロールできないことを考える時間はない。**考えるべきは、自分自身の本性と本質に基づいた生き方の勇気ある選択であり、自分が参画すべきコミュニティは何かということである。**その答えの中心に家族がある人は、すでに新時代の勝ち組である。

「絆」から「紐帯」へ

柔軟性のあるつながりを大切にしよう

「絆」は人間関係を硬直化させる。現にこれまでの日本社会でも、上級国民・下級国民などの格差、犯罪や忖度などの断絶を生んできた。

現在の日本における他との軋轢を避けるために払っているお金や時間などの犠牲、いわば「忖度のコスト」は、政治で50兆、経済で50兆の計100兆円に達すると思われる。政治の忖度コストは、一律支給やお友達内閣、判断遅延などを生むと皆わかっている。

経済の忖度コストは、大企業のコングロマリット（複合事業体）でも問題となっている。実は経済付加価値をまったく出しておらず、むしろ50兆円のマイナスだということだ。企業が解体し、事業が自立すると一気に解消するこの忖度コストは大きい。

忖度文化は卒業しよう。日本にはもはや機能する民主主義も、お金も未来産業も、それらを支える先進的教育システムおよび医療・福祉も何もないが、まだ残っているものがある。法と倫理である。ここにすがろう。

仕事もプライベートもきちんと人と人が向き合い、互いの価値意識のズレを認知し、うやむやにせず、その交点を対話によって探るとともに、法システムに照らし合わせて客観的に解決するようにしよう。

絆からそろそろ卒業しよう。絆とは硬直的なつながり、紐帯とは柔軟性のあるつながりである。その紐帯を大事にしよう。

人はつながり、離れ、また新しいつながりをつくる。時を経て同じ人とつながり合うこともある。そのすべてが自然なことである。だから邂逅を大事にし、無機質な人間関係を精算し、品位と礼節をもって相手を理解しようと努め、適切に対話し、時に対立し、ルールに照らし合わせて喧嘩をしよう。正義は人の数だけある。正しさとは偏見である。だから良い悪いも存在しない。

ニューノーマルとは、リアル空間での甘えと曖昧さから、デジタル化と遠隔コミュニケーションの中で行われる真の人間同士のコミュニケーション形態へと進化することである。

コロナショックで明らかになった「一緒にいたい人の価値」

もちろん「これからも遠隔でいいんじゃない？」となるし、そうすると組織の5割の人（何もしていない人、もしくは他害的な人、無駄なレポートを出せとかいう人）は今後、結構苦しい立場に追い込まれる。ただ遠隔だと生産性は上がるけど、あと一歩、カネにはなりにくい。営業の最終形は人と人とが握手する瞬間に生まれるものなのだ。トレーディングや投機のようにwin-loseのゲームならいいのだけど、**価値を創造する瞬間はいつの時代もやっぱりアナログだ。**カネがぐるぐる回ったところで人々が幸福になるわけではない。

遠隔会議で伝えられるのはコンテンツ（内容）とコンテクスト（文脈）だけ。Ｚｏｏｍはノイズキャンセリングだけではなく、字幕や翻訳機能もすぐに実装してますます便利になる。でも、インスピレーションや熱量は伝わらない。それはリアルでしか伝導しないものだ。仕事をした気になるのがデジタルタスクの一番怖いところで、実質的な幸福には直結しない。

遠隔業務が中心になれば、社員は家族の時間が増えるし、化粧も服装も気にしなくていいのは嬉しい。実は出勤は、時間や運賃だけではなく、もっと多大なコストだったと気づいて削減するようになる。会社側もオフィスの無駄な家賃を省こうと考えるから、超都心のつり上がった賃料価格は、円安やアジアの富裕層バブルがはじければ中期的には下がる。

このコロナショックをニュートラルに捉えると良かった面も多い。全国に200万人以上いるといわれている引きこもりニートは、実は元気になっている。多くの人が家にいたため、普段私たち引きこもりだけが抱えていた罪悪感が減ったからだ。大貧民の革命ではないけれど、最弱の3のカードが最強の2のカードを倒すチャンスだって出てくる。そういうパラダイムシフトを見抜いて生き方を再考する機会になる。

くり返しになるが、平成から令和への最大のシフトは、論点が空間（距離）から時間へと移ったことだ。平成時代はとことん距離の概念をなくすことがビジネスだった（インターネットやLCC）が、トドメを刺したのがコロナ・ショックだ。世界から完全に距離が消えた。

これからは時間が論点になる。世界は同時多発的に展開される。事件・テロ・産業・そして今回のパンデミックも。新興企業は生まれたときから多国籍だ。**空間（平成）、時間（令和）が克服される（ゼロになる）とその次の時代、ようやく光が焦点になる。**

もちろん、中心となる産業も変わる。医療・教育サービスの遠隔化は当然で、最大のインパクトは何かといえば、「ピア経済」の台頭だ。これは遠隔効率化と真逆の発想だ。

ピアとは隣にいること。同じ空間をシェアすることの効果を「ピア・エフェクト」や「ピア・プレッシャー」と呼ぶ。「人間は環境の奴隷だ」というが、中高一貫の進学校からなぜ東大に行くのかといえば、そういう空気を6年間浴びるからに他ならない。個人（スタンド・アローン）の力じゃない。空間の力だ。

話を戻すと、このコロナ・ショック最大のインパクトはつまり、「本当に一緒にいたい人の価値」が明らかになったことだ。これからの仕事（プライベートも）は、あの人とはコールで、その人とはＺｏｏｍ（遠隔テレビ）でいいけども、この人とは一緒にいたいという「臨在価値（ピアバリュー）」が明確になるし、そうして選ばれた人の価格は競り上がる。

発言だけでなく、匂い、触感のような五感だけでもなく、その人が発する空気、気の調和、エネルギーなど、人間が言語化はできなくても知覚ができるあらゆるものが価値化され、値づけされ、そして流通するようになる。**「一緒にいたい人といる」ことが人間の欲求の中心となり、それが経済活動の中心ともなるのだ。**

ピアビジネスこそ21世紀の本命だ。**ピアバリューは、doing（やること）ではなくbeing（あること）から生まれる。**だから、**being valueの高い人を目指そう。**それは一緒にいて心地よい人、機嫌よい人、美しい人、澄んだ人、インスピレーションのある人、たくさんの経験を積んだ徳のある人だ。

日本で増える「孤独」という課題

コロナ禍以前より、日本の社会問題として「孤独」が深刻になってきている。人口が減少する中でも社会的なつながりを強め、孤独と孤立を解消することが求められているのだ。

ひと昔前には核家族4人暮らしが一般的だったが、192ページでも紹介したように、2040年には家族の平均構成人数が2・1人となる予測がある。おひとりさま世帯およびグループが増加傾向にあるのだ。世帯構成人数が減少し、地域のつながりが弱まっている中、孤独を感じる人たちが増えており、社会的コストが問題になっている。

次ページの図3－4は「家族以外の人」と交流のない人の割合を示したものだが、日本はOECD諸国の中でも、孤独を感じている人の割合がとくに高い。イギリスで調査された孤独の社会的コストを日本の人口に割り戻して試算すると、約24兆円の費用となる（204ページの図3－5）。イギリスでは〝孤独担当大臣〟が配置され、孤独に対する政策が加速している。

図 3-4

日本の孤独の課題は大きい

OECD 諸国と比較し、従来より日本は「孤独」を感じている割合は高い。
孤独の課題が、社会構造上の交流の少なさ、ますますの世帯人数の減少、所属への欲求の増加などであることを踏まえると、孤独は日本において今後取り組むべき／注目される大きな課題である。

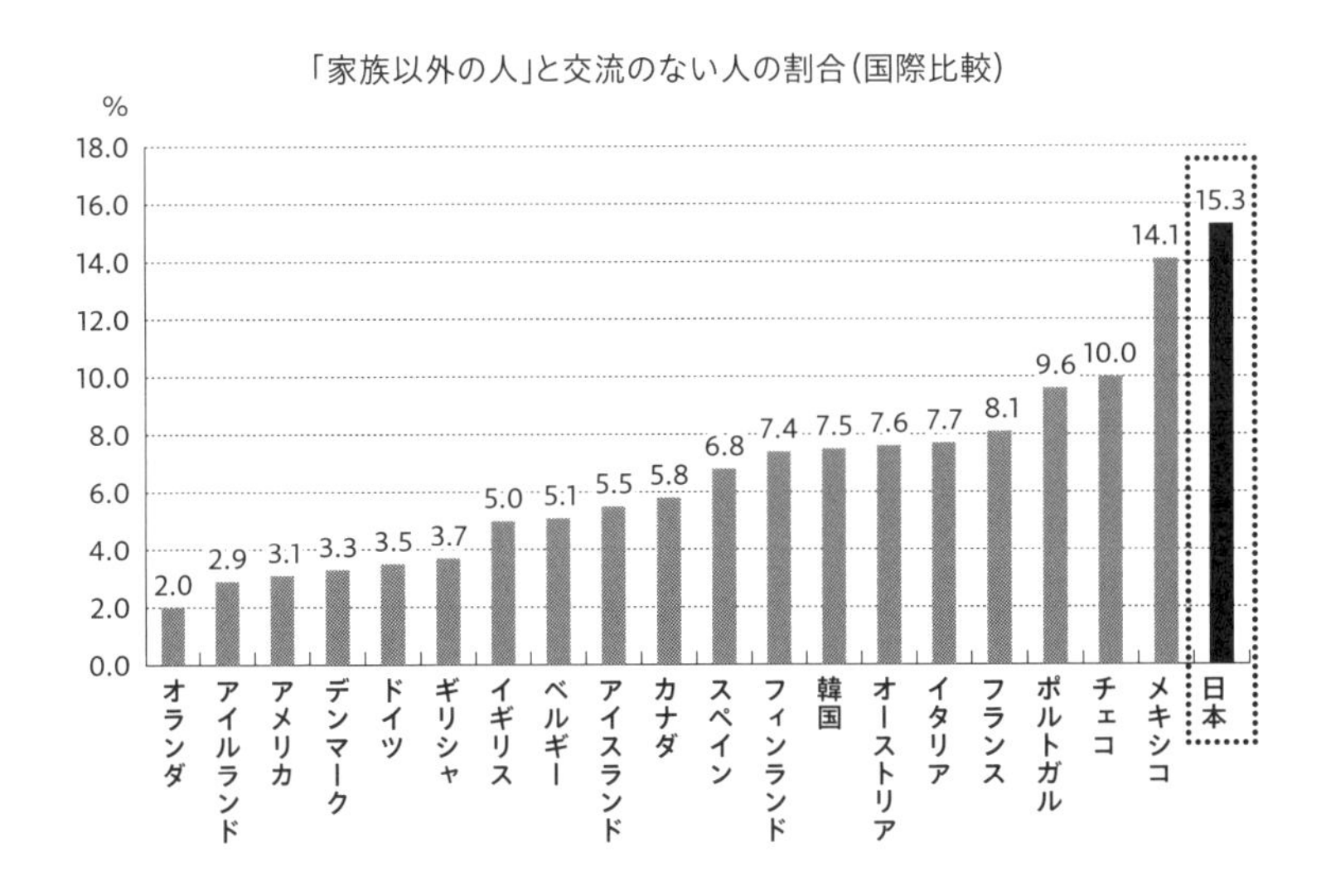

(注) 友人、職場の同僚、その他社会団体の人々 (協会、スポーツクラブ、カルチャークラブなど) との交流が、「全くない」あるいは「ほとんどない」と回答した人の割合 (合計)

出所：OECD, Society at Glance: 2005 edition, 2005, p8

図 3-5

孤独と孤立(社会的コスト)

イギリスでは「つながりのないコミュニティ」の社会保障コストは、年間 4.2 兆円、GDP は 1.6 兆円の改善が見込めると予測されている。日本での「つながりのないコミュニティ」の社会的コストは、人口比、家族以外の人との交流のない人の比率*4 で算出すると年間 24.26 兆円、GDP 改善は 9.11 兆円と推測される。こうしたコストの削減に向けて、行政、自治体も取り組みを本格化させる可能性は大きい。

日本における「つながりのないコミュニティ」の社会的コスト

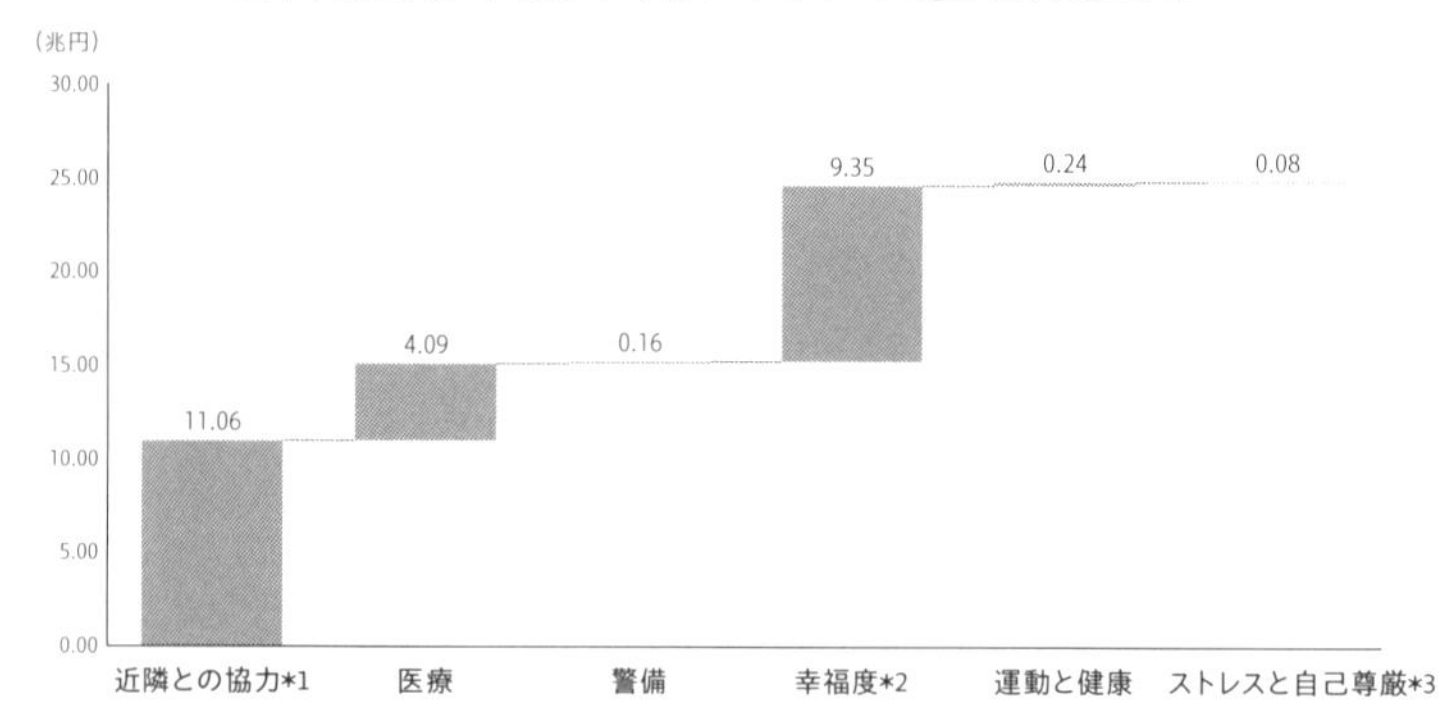

＊1：物資の分かち合いや助け合いの欠如によって発生するコスト。
＊2：幸福による生産性の向上を損失したコスト。幸福は生産性の 12% 上昇につながると推定されている
Clark, A. E., & Oswald, A. J. (2002). A simple statistical method for measuring how life events affect happiness. International Journal of Epidemiology, 31(6), 1139-1144. より
＊3：ストレスと自己尊厳の喪失により低下した生産性のコスト。
＊4：OECD, Society at Glance: 2005 edition, 2005, p8「「家族以外の人」と交流のない人の割合(国際比較)」による、イギリスと日本の数値比と、2020 年におけるイギリスと日本の人口比を勘案し、算出した。

出所：「The cost of disconnected communities(2017, Report for The Big Lunch)」を基に人口比、家族との交流がない人口比を基にブルー・マーリン・パートナーズが独自に作成

「ワンファミリー」という構想

家族で子どもを育てるのではなく、地域とコミュニティで育てるのが正解であり、早く移行したほうがいい。子どもの養育において実親や戸籍を重視すると、繁栄からますます遠ざかる。「自分の子ども」という概念を持ち続けることには限界がある。子どもはコミュニティで育てなければならない。この国のコストの中心は社会保障費であり、その中核は孤独と孤立である。くじ引きでメンターやマスターを決めて、クラス替えのように毎年入れ替わる仕組みを導入してでも世話をし、世話をされるというつながりを作らなければならない。

「信用」をベースとした経済への変化

「つながり」と「物語」によって価値が決まる世界

シェアリズムにおける地域の経済システムは、キャピタリズムのダイナミズムとは根本から異なる。シェアリズムにおける経済とは、顔の見えるなめらかな経済である。

貨幣の問題の本質は「文脈」の断絶にある。そのため、「顔が見え（＝固有名詞がわかること）」、「なめらか（＝文脈のある）」である経済を作ってゆくためには、貨幣を使わない経済を創造する必要がある。そこで出てくるのが、記帳経済や時間経済、信用経済である。

経済システムにおいて、交換される財とその手段が変わってきている。生存のため、モノをお金で間接的にやりとりしていた時代から、モノを直接やりとりして記帳する「記帳経済」へ、「自分の時間」を単位に、地域内でモノやサービスをやりとりし、通貨に換える方法である「時間通貨」まで変化している（次ページの図3－6）。

図 3-6

お金より「時間」という価値観へ

人の時間を使うことが経済における財の主流になる（時間主義経済）から、お金だけではなく、
人の行動（give & take）を直接、分散台帳（ブロックチェーン）に刻むようになる（記帳主義経済）へ。
個人の信用を評価して各々の享受できることが可変する経済につながる（信用主義経済）。

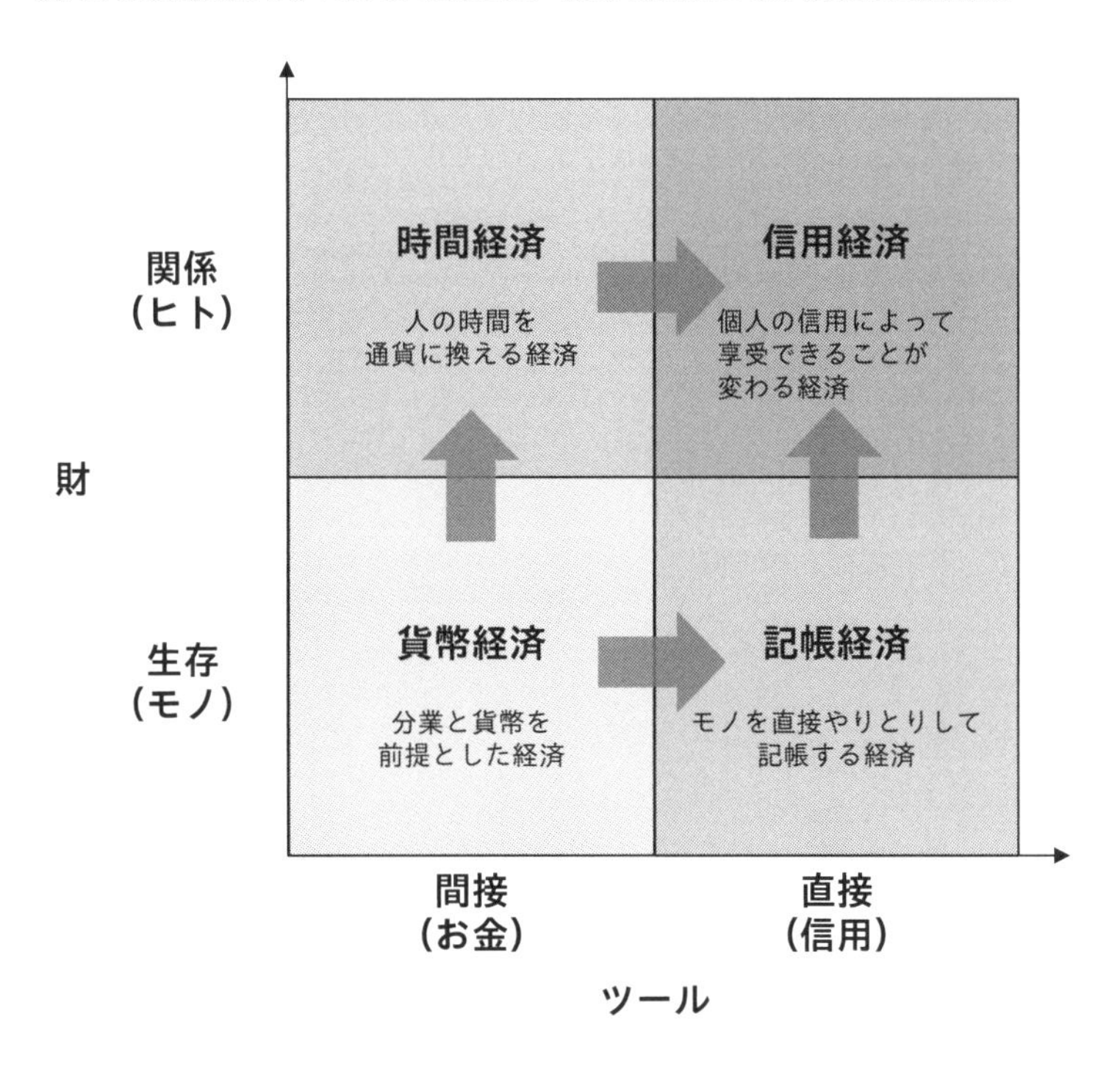

実際に、欧州を中心に時間通貨が使われ始めており、分散台帳に人の行動を刻む記帳経済も一部において浸透してきた。シェアリズムでは、水面下ですでに信用社会が広がっている。地域においては、どんなにお金があろうが、時間がなかろうが関係ない。タケノコの旬の季節には竹藪に入ってタケノコを掘り、あく抜きをして近所に配らなければならない。**お金で買えない信用社会がシェアリズムの本質である。**

これからの**経済システムは、時間通貨と記帳経済を基盤に、信用を評価し、個々の享受できることが変わってゆく経済が浸透してくるだろう。**

シェアリズムにおいて、財がモノからコトへと変化してきているということは、需要と供給で決定される価値ではなく、**「つながり」と「物語」によって決定される価値へと変化してゆく**（次ページの図3－7）。「つながり」とは財に関わる人間間の関係であり、「物語」とは時間の連続性によって蓄積される価値のことである。

外貨を獲得し、新しい経済圏を作る4つのアプローチ

先ほど、シェアリズムの世界では、つながりと物語によって決定される価値へと変化してゆ

図 3-7

シェアリズムにおける価値の変化

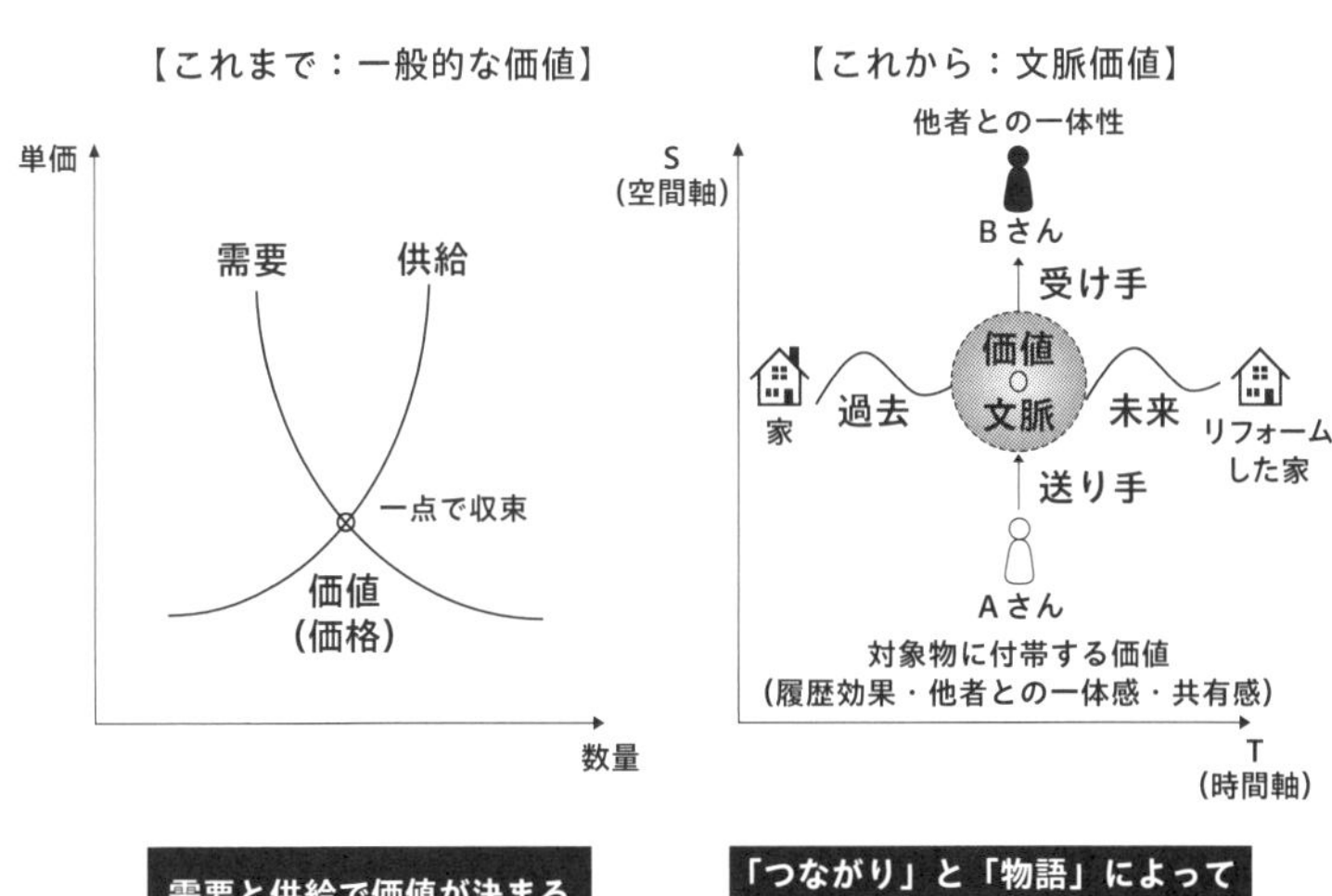

くと伝えた。過去につながりや物語によって積み上げてきた資産を消耗することなく、それらを使ってさらに（自分の）価値を高めるにはどうすればいいのだろうか。

その一つが外貨を獲得し、新しい経済圏を作ることである。


では、具体的にはどのような方法なのだろうか？ それをまとめたのが、次ページの図3－8にある4つの方策だ。

これらの方法はどれも共通して、地域をなめらかにつなげることで関係や物語を強め、コストを削減し、生産性を高める。一つひとつ説明してゆこう。

時間通貨

時間通貨は、時間はすべての人にとって平等であり、文脈とつながりを保全することから、地域経済に適しているとの考えを包含している。

地域内で掃除や買い出しなどの困りごとを解消したり、専門知識を提供したりすることで時間通貨を受け取り、他の人が提供するサービスを受ける際に活用することができる。

この仕組みが部分的に実装されている例がある。

世界ですでに運用されている「時間」を使った事例として、スペインを中心に展開する「時

図 3-8

なめらかな経済の作り方

1. 時間通貨 ……時間を単位とし、地域内でモノやサービスをやりとりする

2. 時間年金 ……若年層時代に行ったボランティアの時間分だけ介護が受けられる

3. 記帳経済 ……つけ払い。やりとり記帳のみ行い、なるべく精算しない

4. 地域通貨 ……地価などの実質的価値に連動した地域通貨によってやりとりを行う

上記は地域で過去積み上げられてきたつながりや物語たる資産を消耗せず、
外貨を獲得する新しい経済圏を作るための4つの方法である。
いずれも、地域をなめらかにつなげることで関係や物語を強め、
コストを削減し、生産性を高めるという特徴がある。

間銀行」がある。まず同じ地域や学校など、近いところにいる者同士で「○○時間銀行」というグループを作る。その中で運営管理の担当者（事務局）を数人決め、彼らを通じて時間銀行に、自分が人に提供できるサービス――「英会話」「パソコンの修理」「買い物の代行」など――を登録し、必要なときにサービスを頼んだり、頼まれたりするのだ（次ページの図3-9）。

その際、依頼した人はかかった時間を提供者に支払い、提供者はそれを「時間預金」として自分がサービスを頼む際に利用する。メンバー間で何か頼むときは「頼るばかりで申し訳ない」と思う必要がない。時間で返すか、いずれ自分が依頼に応えることで「持ちつ持たれつ」になるからだ。

そもそも資源を閉じ込めることのできる明確な言語は「数字」か「個人」の2つだけである。お金の本質は、それが数字であるということだ。数字というもっとも明確な膜の内側に、信用と価値を閉じ込めることができる。そしてそれを使って生活をする。

個人は英語で「individual」というが、これはもともと、「これ以上分けることができない」という意味である。つまり、**「分かちがたい最小単位」という膜の内側に、信用と価値を閉じ込めることができるのである**（214ページの図3-10）。

図 3-9
時間通貨|関係経済システム：時間通貨の利用イメージ

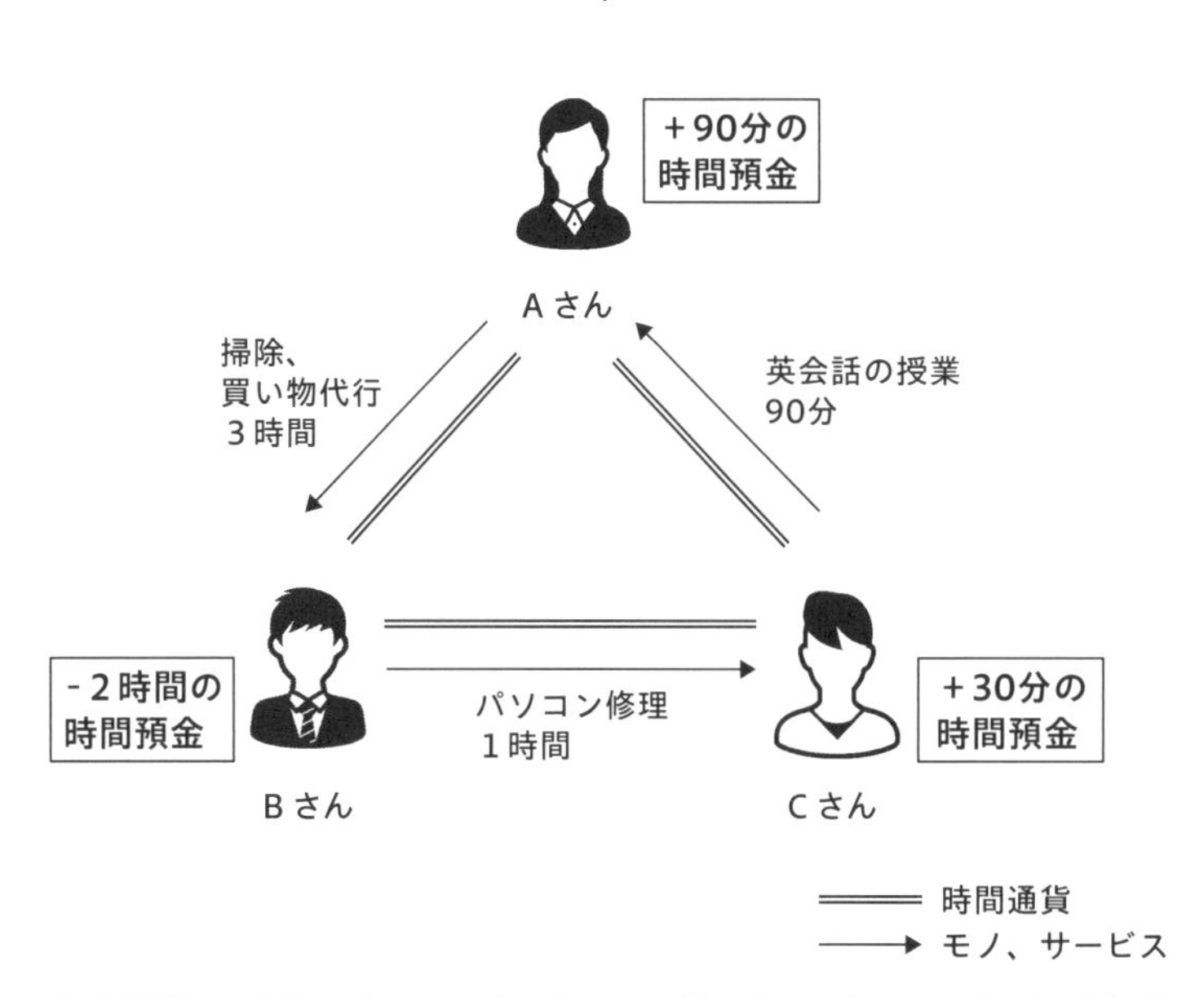

時間通貨は、時間はすべての人にとって平等であり、文脈とつながりを保全することから、地域経済に適していると考えている。地域内で、掃除や買い出しなどの困りごとの解消、専門知識の提供など、サービスを提供したら時間通貨を受け取り、他の人が提供するサービスを受ける際に活用することができる。

図3-10

資源を集約する方法は2つしかない

タテ社会の言語
「円」(お金)

数字

123456789...

「摩擦」がない

ヨコ社会の言語
「縁」

個人

(individual)

できない 分けること

「文脈」「価値」を伝えられる

長年スペインで時間銀行を推進するフリオ・ヒスベールさんによると、世界で最初に時間銀行のような取り組みを行ったのは、実は日本人だという（週刊エコノミストオンライン）。

その端緒は１９７３年に大阪で、水島照子（みずしまてるこ）さんが「ボランティア労力銀行（現ボランティア労力ネットワーク）」を作り、女性たちが仕事や子育ての多忙な時期、介護が必要なときなどに、時間を単位に助け合うネットワークを築いたことに始まる。

そして１９８０年代に入ると米国で、エドガー・カーン博士が「タイムダラー（後のタイムバンク）」を提案し、１９９５年に「タイムバンクスＵＳＡ」を設立。米国における公共サービスへの支出が削減される中、お金の有無にかかわらず、様々な人が支え合うことで、誰もが安心して暮らせるコミュニティを作ろうと考えたのだ。

こうした動きは、各地域や担い手のニーズに合わせて形を変えながら、世界へと広がった。米国と同様の社会状況にあった英国でも、１９９８年に時間銀行第1号が誕生した。現在、全国に約２８０もの時間銀行がある。

国や世代を超えて、空いた時間で地域での貢献活動をすることがポイントとなって貯まってゆく。夏休みの朝、ラジオ体操へ行くとスタンプが貯まって景品と交換できたように、今後同じ仕組みが出てくる。ボランティア、畑仕事、雪下ろし、介護、交通整理など、インセンティブを伴う時間の使い方が主流になるだろう。

時間年金

次に紹介する「時間年金」が構築したいのは、若年時代に行ったボランティアの時間分だけ、将来的に介護が受けられる仕組みのことである。

たとえば、高校生のときに10時間の介護ボランティアを行った場合、老後、自身の介護が必要となった際に、同等の時間介護が受けられる。こちらはまだ実現してはいないものの、先の例である「時間通貨」が持続してゆけば、十分に実装が可能である。

時間年金では、ボランティアをすることで膨大な社会保障費を削減しながら、介護を受けることができる（次ページの図3-11）。また、ボランティアから介護を受けるまでの期間が数十年間あることから、この期間で技術革新が進み、1時間あたりに受けられるサービスの量が向上する。これによって時間に対する利子をつけることができるのだ。

若いときに行った貢献（介護）などがポイントとして年金庁（現日本年金機構）に記帳され、将来、自分が必要な医療・介護を受けるときにはポイントに応じてサービスを受けられる。

自分がサービスを提供した時期とサービスを受ける間にイノベーションが起こり、時間あた

図3-11
時間年金|関係経済システム:時間通貨の利用イメージ

時間年金は、若年期に行った地域のボランティアの時間数に応じて介護サービスを受けられる時間が決まる仕組み。ボランティアから介護を受けるまでの期間が数十年間あることから、この期間で技術革新が進み、1時間あたりに受けられるサービスの量が向上する。これによって、時間に対する利子をつけられる。

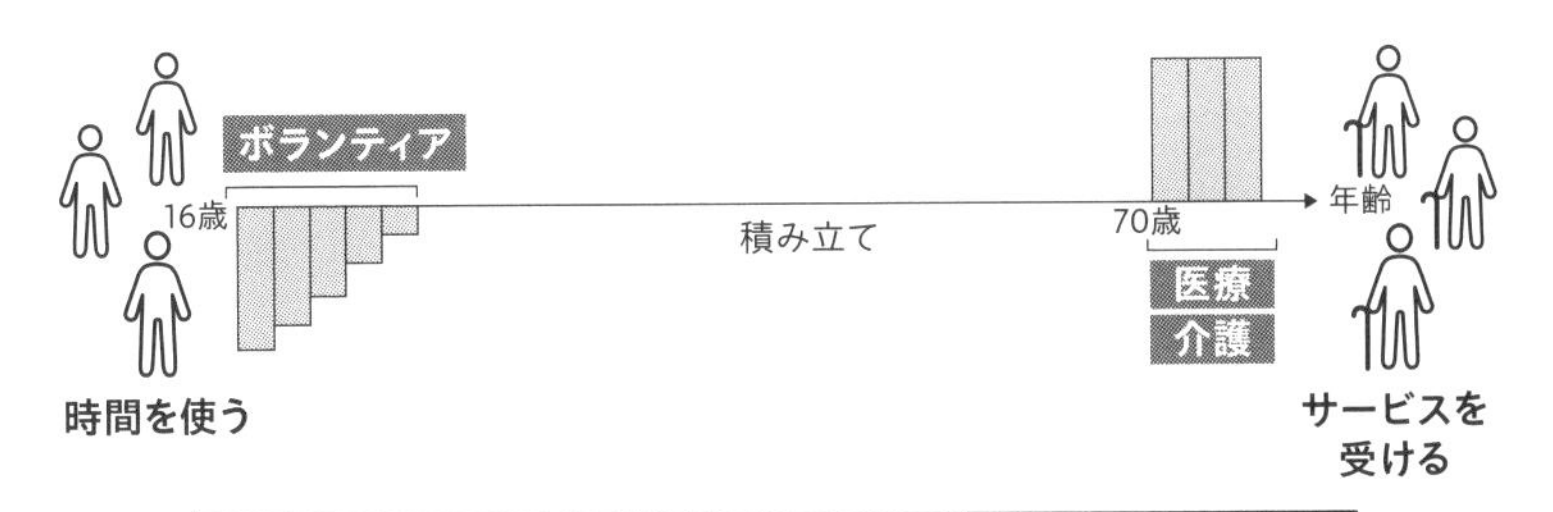

若年期に行ったボランティアの時間数に応じて受けられる介護サービスが決まる

出所:ブルー・マーリン・パートナーズが独自に作成

りにできることが増えるため、これが「利息」となる。まさに「時間」を活用したサービスになり得る。お金のない若者でもポイントを貯めることができる。それでいて、介護の場合、自分がサービスを提供した経験があれば、自身が介護を受ける側に回ったときに、サービス提供者の気持ちも理解できるだろう。

一方で、時間年金の保管期間が長期化する場合、1時間あたりの価値をどう換算するか、人口が減少し、高齢者が増加する将来において、介護を賄い切ることができるかどうかという点が、依然課題として残る。

記帳経済

記帳経済とは、「ツケ払い」のことである。地域で生活する人たちは連帯感を高め、かつ地域内で消費の割合を高めるため、やりとりを記帳でのみ行い、なるべく精算しない（次ページの図3－12）。

記帳経済を推し進める方法としては、年金などから天引きする形式を用いることが効果的である。この運用にすることで、互いの信用がトラッキングされ、取引の無駄がなくなる。地域の商店での買い物やボランティアなどに対してポイントを付与したり、一部を還元したりするような動きをとることで、域内資本の小売店での消費を促す。また、相互扶助を促進すること

図 3-12

記帳経済：モノ同士を直接やりとりする

コミュニティ内での結束を高めるためには、「ツケ払い」が有効となる。
ブロックチェーンを用いた分散台帳をベースとした三式簿記によって記帳してゆく。

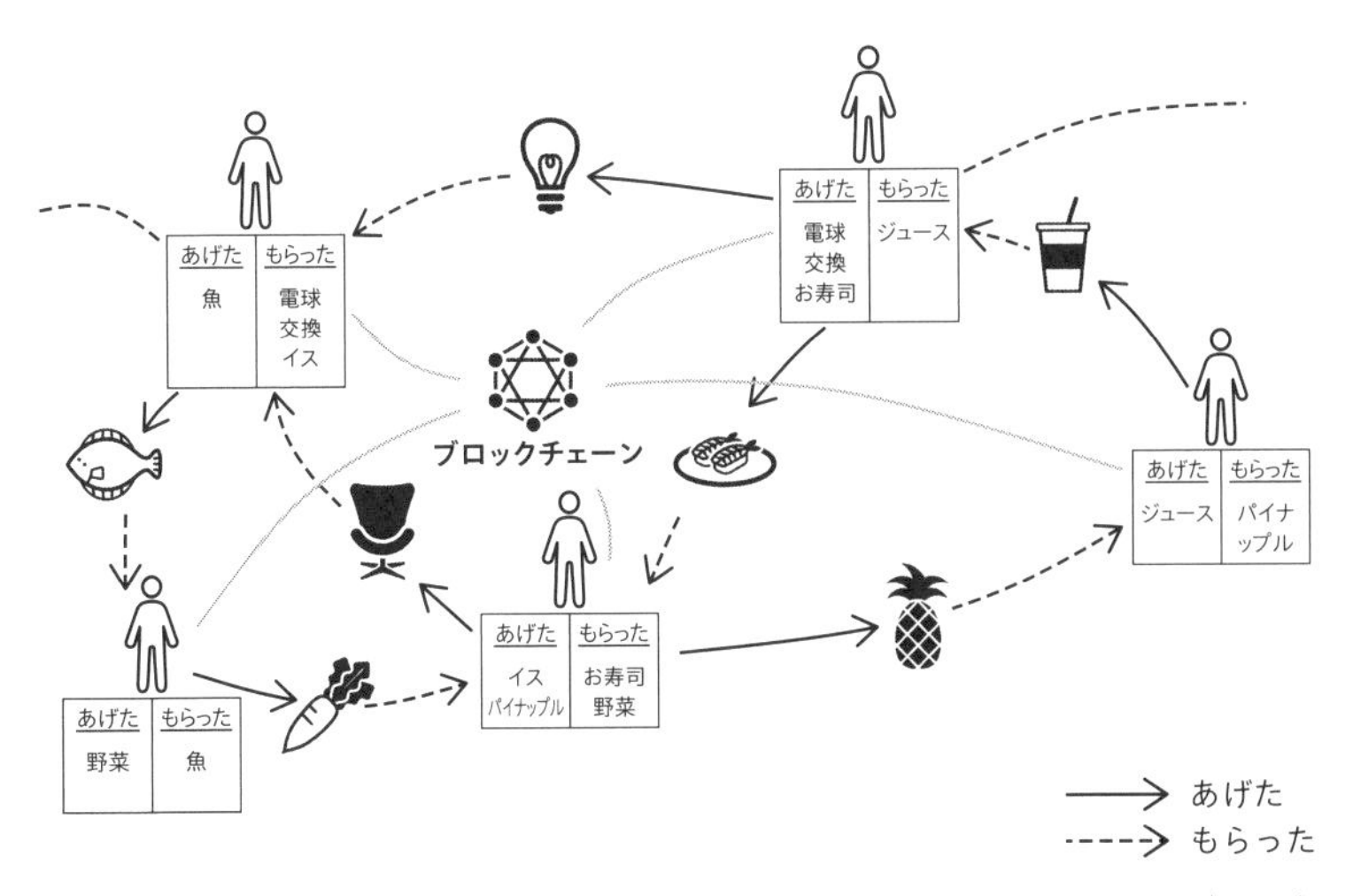

出所：ブルー・マーリン・パートナーズが独自に作成

で、地域での社会福祉にかかる予算を抑えることもできる。

記帳経済を導入した場合、予定通りに支払われるのかどうか、疑問に思う方がいるかもしれないが、この点は「村八分」という言葉に代表される地域の相互監視をうまく活用できるだろう。また、年金や給与からの天引きによって自動的に支払いをさせる仕組みを導入することで、未払いリスクを下げることが可能である。

ミクロネシアのヤップ島にはフェイ（石貨）に関する有名なエピソードがある。そもそもお金の起源は太平洋の小さな島である、このヤップ島の記帳から始まった説だ。巨大な石フェイは動かすことが困難で貨幣の役割を果たさない。だが、「ナマコとヤシの実を交換した」などの記帳を常にしていれば、それらの記帳を「精算」するときにだけ、このフェイの持ち主を変えればよいというわけだ。

地域社会に貨幣経済はそぐわない。ツケでよい。それも自動的に顔認証でもできるようになる。それらを年金から引き落としてもよいし、死ぬときに精算してもよい。日々、お金を使った取引を行うと人間関係は断絶され、あげた・与えた・受け取ったという行為と記憶は数字によって漂白されてしまうからだ。

地域通貨

「地域通貨」とは、地域内で使える通貨のことである。期待される効果として、域外の資本の獲得と域内循環量の維持がある。

地域通貨を導入してきた地域は数多くある。2000年代からリーマン・ショックなどによる法定通貨の価値の揺らぎに反するようにブームが起きたものの、活用されず、短期間で消滅してきた過去がある。

「2020年版地域通貨稼働調査の結果について（速報版）」によると、2020年12月時点で184の地域通貨が日本で発行され、毎年50前後もの地域通貨が立ち上がる時期が、2001年から2005年まで続いた。しかし、ブームは2005年をピークとして終わった。以降は地域で稼働する通貨の数は少しずつ減っており、立ち上げられて3～4年以内にその半分弱が活動を中止している。

また、近年の兆候として、ブロックチェーンなどの仕組みを用いて、スマートフォンで電子的にやりとりできる通貨が出現している。

地域通貨の課題は大きく分けると2つあり、1つ目が法定通貨を超えるインセンティブの設計、2つ目が運営維持費の捻出である。

1点目の課題に関して、現在日本の法定通貨である「円」は、日本全土において、ほぼどこの店に行っても利用できる。地域通貨は、ある地域において加盟店のみで利用できる通貨であるため、利便性という観点ではどうしても法定通貨に比べてインセンティブが湧きづらい。

これを解消するために、ポイント還元やQRコード決済による決済の簡便化などの様々な方法が用いられているが、仮説検証しながらインセンティブ設計を洗練させる他ないと考えられる。

2点目の運営維持費についてだが、法定通貨制度によって、発行と管理については日本銀行が担い、運用については、記帳、申告、換金など、私たちがコストと認識していない形で国民全体が拠出している。一方で地域通貨は、換金や帳簿などを新たに住民に依頼する必要があり、また運営団体においては発行と管理にかかるコストが必要である。コロナ禍では、緊急経済支援の一形態として、地域通貨のポイント付与という形で広がった。

たとえば、香川県の琴平町（ことひらちょう）では、コロナ緊急経済対策給付事業実施要綱を発表。域内で普及している電子地域通貨KOTOCA（コトカ）を、給付対象者1人につき5000コトカ配布した。アプリに対する自動給付という形をとっており、申請いらずで受け取り可能なため、電子地域通貨の強みを活かしており、有効期限を設けて域内経済の循環を狙っているところが注目すべき点である。それでも、持続的な運営体制については議論の余地がある。

昨今の地域通貨では、行政が緊急経済支援の予算から地域通貨の発行・管理コストを捻出しているが、捻出し続けることは考えがたい。

上記2点の課題を解決する方法として考えられるのが、QRコードと地価に連動した法定通貨との交換価格決定の仕組み、およびバスや電車の割引利用などの提供によって卸効果を狙い、そこから運営費を賄う形式である。

地価に連動して法定通貨との交換価格を決定する仕組みを導入することで、通貨を使えば使うほど地域が潤い、地域の価値が上がることによって、地価が上がるサイクルができあがる。「法定通貨から地域通貨に変えるだけで地域が良くなる」ことを通して、地域通貨を活用するインセンティブを設計するのである。

ちなみに、取り扱うサービス内容として成功する可能性が高いのは、固定費ビジネスの要素が大きい企業が発行する、非日常的なモノ・サービスである（次ページの図3-13のⅢ）。「卸効果」による手法とは、各種航空会社が発行しているマイレージの仕組みに活用されているものである。飛行機は、1回あたりの飛行において企業が負担する費用は大きいが、乗客が

図 3-13

地域通貨：発行企業と消費者の関係

取り扱うサービス内容として成功する可能性が高いのは、固定費ビジネスの要素が大きい企業が発行する、非日常的なモノ・サービスへのポイント。

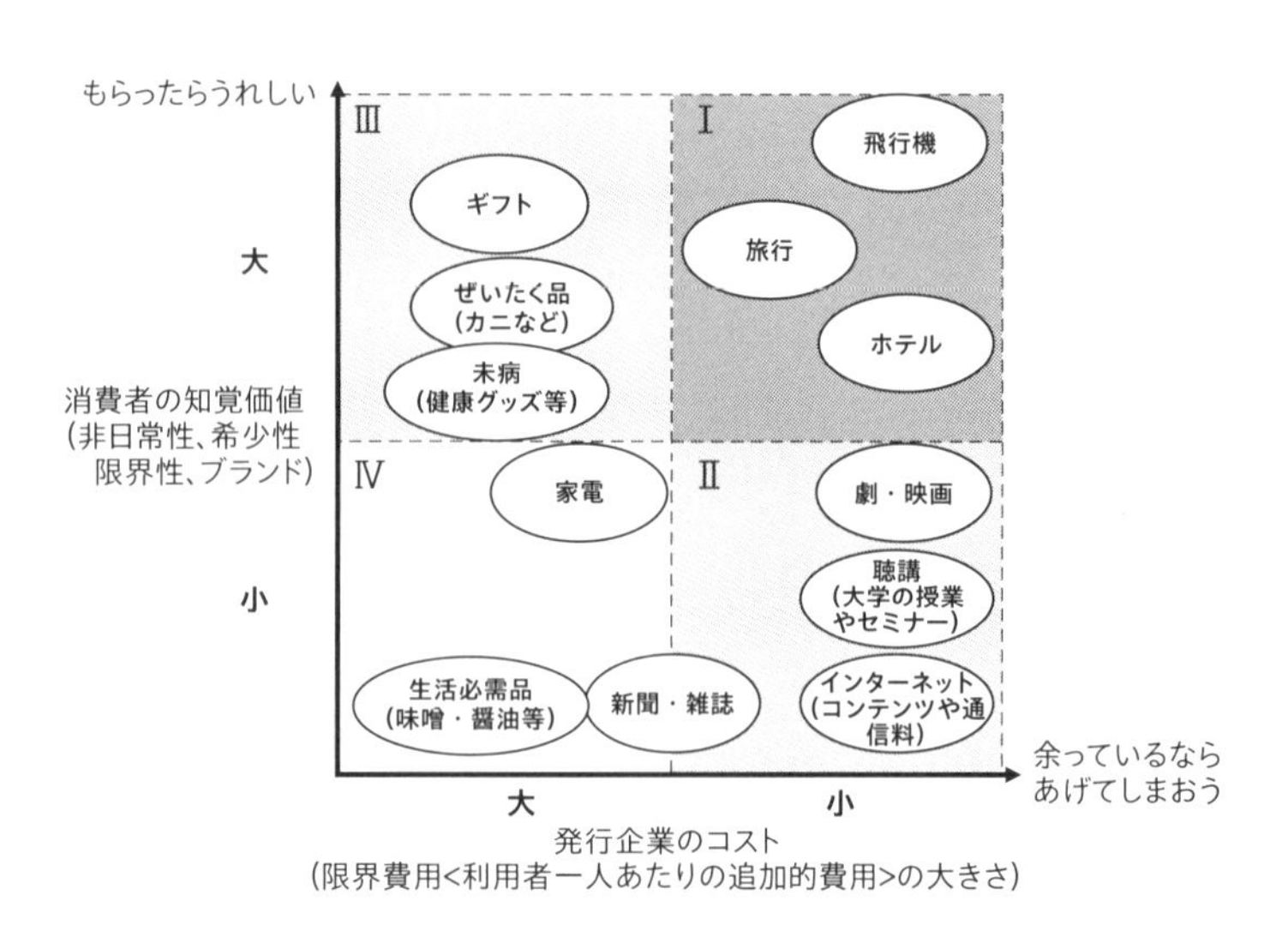

出所：ブルー・マーリン・パートナーズが独自に作成

100名であろうと200名であろうと大きくは変化がない。また、消費者の価値認知は非日常性が高くブランド価値があるため、消費者側の支払う単価が原価に左右されることなく、高く設定できる。

このように、限界費用（利用者一人あたりの追加的費用）が小さく、非日常なモノやサービスを地域通貨の発行母体があらかじめ仕入れたうえで利用者を増やし、該当のサービスやモノの利用を促すことで、その差額を利益とすることが可能である。

地域通貨を発行する際には、そのアルゴリズム設計やアプリケーションなどよりも、その地域通貨において独自に使えるサービスやモノを用意し、目玉のサービスやモノにおいて利益が出る設計をすることが肝要なのである。

ここまで事例を交えて地域通貨のポテンシャルについて述べてきた。それでも依然として課題が残るのは、その信用の土台を何にするのか、という点であろう。

通貨の発行には、必ず信用（価値）の土台が必要となる。通貨が価値交換の媒体として回り始めれば、その交換価値自体が信用土台となるが、発行時点では土地を仕入れ、その地価をまずは地域通貨の発行母体の信用にするのがよい。

USJ（United States of Japan）構想

日本の人口が6000万人となった未来を前提とするなら、日本全体を面でおさえることはもうできない。人口は集中する。そうなれば、日本は都市国家（USJ：United States of Japan）に向かうことになるだろう。

都市（マーケット）は人工的に作ることができない。国が先導したニュータウンは、いつの間にかゴーストタウンになっている。たとえトヨタでも、街はシステム的に創ることができない。都市とはあくまでも自然発生的に市場、つまり人と人の交易の交差点から生まれる。利のないところに人はいないのだ。

これから日本の各地域は、どこであっても自主的に世界的な都市国家を目指さなければならない。それが一番、いや、唯一無二の日本の論点である。

日本全体の中央政府の力が弱まり、地方分権が進む中、日本全体で統合的にブランディングするのではなく、地理特性に合わせ、それぞれが独自の制度・産業・街を有する地域へと進化していくほうがいいと考えている。

たとえば北海道は、アジア御用達の保養地になってゆくだろう。東北はアジアの〝北欧〟として、手厚い福祉や教育制度の整った地域になる。温暖化が進めば、人々は北に集まる可能性が高い。北陸は、精密機械工業・漁業・伝統工芸の中心地になる。関東は「TOKYO」を中心に、シンガポールやニューヨークに並ぶ国際都市と化してゆくだろう。近畿は、京都を古都として観光立国になり、中国・四国の瀬戸内海地域は、地中海地域のように、エリアごとに特産品を有するリゾート地になってゆくだろう。九州は、朝貢貿易のように韓国・中国との貿易がますます盛んになる。沖縄は、日本の島国文化を色濃く残す最後の楽園としてアジア圏の人たちのリゾートとなる。

これを聞いて、自身が直感的に惹かれるエリアに焦点を絞り、豊かさを感じる土地を探すところから始めるのもいいだろう。

終章

3つの世界の先に、意識の次元を見つめる

キャピタリズム・ヴァーチャリズム・シェアリズムからなる「3つの世界」をそれぞれ解説してきた。「3つの世界」の先には何があるのだろうか？本書が射程とする2100年の世界を見据えると、「共産主義 vs 資本主義」のパラダイムは終焉を迎え、「身体主義 vs 意識主義」の新たなる対立が生まれてゆくだろう。

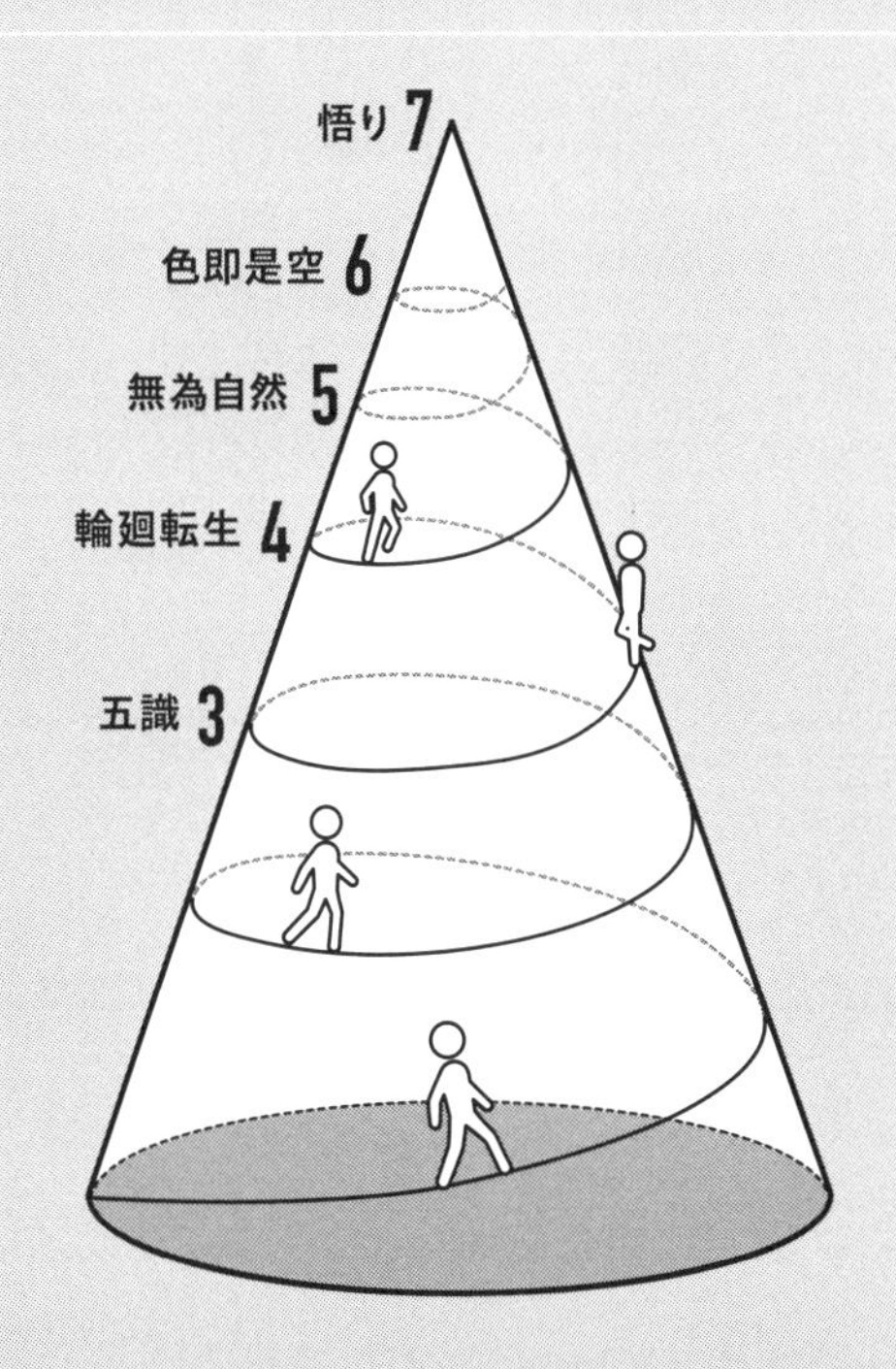

新しい対立〜身体主義vs意識主義〜

共産主義vs資本主義の次に起こる対立

人類は対立なくして前に進めないものである。それは歴史が物語っている。対立と衝突のうえに次のパラダイムが起こり、人類は変化してきた。

資本主義と共産主義の対立は、国と国との対立ではなく、地上からの距離・レイヤーの違いに姿を変えた。つまり、地表から20メートルは共和主義的社会経済システムに基づいており、地上200メートルは資本主義である。そうすることで、一つの国に共産主義的・資本主義的な要素が重なるという形でこの対立は落ち着くだろう。共産主義と資本主義の対立が解消されれば、新しい対立がなければ生きてゆけない。

すると次なる対立はどこに生まれるだろうか？　それは「身体の知覚が私たちの本質である」という世界観と、「意識とそこから生まれる認知こそが私たちの本質である」という主義の戦いである。

それを本書では「身体主義」と「意識主義」と呼ぼう。

新しい人類の出現

資本主義における「数字」というわかりやすい一次元の点・数が社会の交点をなす時代では考えられなかったような分裂が起こる。

「身体が私である」と考えるならば、一つの社会（世界）の中で、私たちはこの3次元の時空間をより深く微細に知覚しながら、他者や自然とともに限られた生を謳歌することが目的となる。だが**「意識こそが私」であるならば、世界は一人ひとりに構築され、自分の意識のゆく認知の彼方まで広がることが可能となる。**

歴史を紐解けば、もともとホモ・サピエンスである私たちが霊長類のトップとして地球上を支配するに至ったのは、3次元空間における肉体的柔軟性・機動性と4次元的共通概念を共有し、時には群れとなり、倫理・道徳といった共通ルールの下に協働できたからである（次ページの図4－1）。ベストセラーとなった『サピエンス全史』（河出書房新社）という本でも、我々ホモ・サピエンスが地球を制覇したのは、この共通思念（4次元。著者であるユヴァル・

図 4-1

ホモ・サピエンスは「共通思念(4次元)」を持つことで生き残った

ハラリは『サピエンス全史』にて、ホモ・サピエンスは進化の過程で言語を獲得し、虚構を生み出したとした。

神話や社会制度、国家などの虚構を共有することで、互いにまったく知らない人とも協力することが可能となった。

	チンパンジー	ホモ・サピエンス
意思疎通	鳴き声や動作などの表現が限定的。	記号・音声の組み合わせにより文章や意味の生成・共有が可能に。
思考	現実の周辺環境で把握できる事物。	客観的世界と、虚構の世界を表現。理解し、伝達できる。
効果	集団の中で理解し合い、絆を育むことでのみ協力関係の構築が可能。	集団内外の虚構の共有によって、見知らぬ人とでも信頼関係を築く。

出所：ユヴァル・ノア・ハラリ著、柴田裕之訳
『サピエンス全史 文明の構造と人類の幸福 上下合本版』より

ノア・ハラリの言葉を借りれば虚構）を持っていたからだと言及している（意識の次元については237ページ以降で詳しく解説する）。

だが、そのホモ・サピエンス的行動の限界が地球の環境破壊を引き起こし、資本主義による我々同士の分断という結末を迎えつつある中で、人類は人類を超えてゆこうとしている。それは新しい次元の意識を宿す存在の出現である。

たとえば4次元感覚を共有するのがホモ・サピエンスであるならば、5次元・6次元感覚を有する存在の出現、もしくは発見ということになる。


身体はエネルギーの源だが、残念ながら人類の進化の過程は、やはり意識が知覚できる次元の拡大にあるのは明白である。

ヴァーチャリズムの住民たちも同じように考え始める。「世界とは結局のところ、自分がどう認知するかで決まる」と。他者も社会も存在しない。絶対的自己の中で形成されたこの考えはやがて、「認知することがすべて」であり、「私たちの存在の中核にあるのは、この認知する意識こそがもっとも大事である」という考えへと展開される。


このように書くと、地域に根ざす身体主義者と、仮想世界に溶け込もうとする意識主義者の対立は、結局のところ後者に軍配が上がるように聞こえるかもしれない。しかし、ことはそう簡単ではない。なぜなら私たちの意識は、日々、様々な次元を漂うからだ。

人は時には金や数値（1次元）を求め、妄想し（2次元）、モノの充実を図り（3次元）、過去を後悔し、将来を悲観する（4次元：3次元＋時間）。またある時は、世界のすべてが一つであるような感覚を得ることもある。それは4次元より先の、たとえば5次元・6次元にあたるものかもしれない。そのような多次元的な意識の移ろいを経ながら進むのであって、簡単に意識か身体か、などという単純な分類ができるわけではない。

つまり、単純に身体を捨てて意識体になるなどという安易な選択ができるわけではないということだ。**私たちは意識体であると同時に、肉体を持つ生物であることを認めなければならない。**

2040年までのメイントレンド

人々の関心は意識の探索に向かう

本書の射程は2100年までである。その頃人間は、まだ身体というエネルギー源を持ちながら、意識の探求をしている最中だと思われる。その意味で私は、人間の本質は意識か身体かという新しい対立の勝敗を本書では語らない（別の書籍で語る）。ただし、その対立構造が起こるプロセスにおいて、人々はより身体と意識についての考えを深めるに違いない。身体の拡張は、医療技術やロボティクスの進展によって、人間の寿命伸長という形で実現される。

一方の意識については、個人差はありつつも、より高い次元までの知覚を可能としているように思われる。意識の次元を高く保つことは、個々人の鍛錬と社会の仕組みによって実現できそうである。少なくともこれまで宗教や慣習や信仰が担っていた精神世界について、科学的なアプローチによる意識の研究が進むだろう。私はそれを「意識学（studies of consciousness）」

と呼ぶ。そして、意識を主体的かつ自由にコントロールする技術を「意識工学（Cognitive engineering）」と呼ぶことにする。

端的に結論すれば、身体主義と意識主義という対立の中で、世界中の人々の関心が意識の探索に向かうと考える。

「意識とは一体何か？」ということについてより深く、そして広く解像度を上げようとするだろうし、また意識を操る方法の開発と実践が進むだろう。それが2025年〜2040年までのメイントレンドになる。

だから最後に私は、意識についての知識を述べようと思う。とくに意識の7つの次元について簡潔に述べたい。そして、意識の各次元と人間性の5つの要素と3つの世界との関係を簡単に整理して本書の終わりとしたい。

意識の7つの次元

意識の次元について、ビジネスパーソンの視点から整理してみよう（次ページの図4－2）。

1次元：自分の世界を生きる

まず1次元は、数や文字のことである。点の上に自分がいるという自分中心の意識次元だ。余談だが、子どもの頃や学生時代は皆、所詮1次元にいて拗（こじ）らせている。とくに言うことはないが、金や数字への執着は1次元のものであることを付しておく。

2次元：「理解」できる世界を生きる

2次元とは、算数、論理、ルールのことである。ビジネスパーソンでいえば、社会人1年目が理解できる世界が2次元である。平面的なロジックやルールなどで世界を解釈している意識次元だ。

図 4-2

次元について|意識の次元

意識には次元があり、理系的、宗教的、文系的に説明が可能

次元	概要	イメージ図	理系的説明 (演繹) (物理学・数学)	宗教的説明 (経験) (西洋・東洋)	文系的説明 (帰納) (ことわざ・文学)	人物例 (ビジネスパーソンの場合)
1 次元	私のための 世界を生きる		数	私	文字	学生 (自己中心の罠)
2 次元	「理解」できる 世界を生きる		算数 論理 ルール	公	言葉 文脈 価値観	新社会人 (不条理の罠)
3 次元	世界を5感で 知覚して生きる		ニュートン力学 物性	五識 色(色即是空)	5感 世界	中堅ビジネス パーソン (ノルマの罠。 負けて勝つが わからない)
4 次元	世界を規律的 に生きる	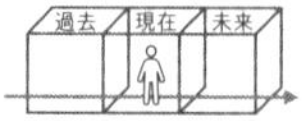 過去 現在 未来	特殊相対性理論 (アインシュタイン) エントロピー 光を定数とする	因果律(カルマ) 輪廻転生 儒教	情けは人の ためならず 因果応報	マネジメント (因果律が 成り立たない 世界での統合 の失敗)
5 次元	世界を肯定 して生きる	 雨 晴れ くもり	量子論 (D・ボーム) 粒子と波動の 二重性 (重ね合わせ)	愛(キリスト教) かつ無(禅) 無為自然 (フロー)	人間万事 塞翁が馬 誰のせいでもない (課題の分離) (範囲の限定)	トップマネジメント (起こることは正しい。さもありなん。まぁなんとかなる という姿勢)
6 次元	世界を選択 して生きる	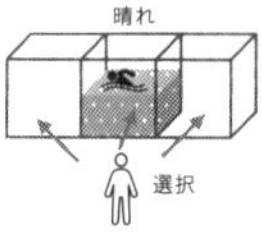 晴れ 選択	(マルチバース) (ペンローズ、 ホーキング) 量子もつれ 多世界解釈	色即是空 霊性/仏性/ 神性/本質	思考は現実化する デジャヴ シンクロニシティ マンデラエフェクト	起業家は世界 観とビジョンを 示し、それを現 実化する
7 次元	宇宙を創造して 生きる 進化の次元 (別宇宙への アクセスが可能)		(大統一理論)	悟り	人は死なない (生まれてもい ない)	ブッダ 空海 キリスト

合理性はわかるが、世界は「不条理」であるという真実がわからず悩む人も世の中には多い。とくに学歴が高く、頭が良いと言われてきた人の中には、中年になってもこの2次元意識にへばりついている人がいる。そのような人は周囲とぶつかったりして人に嫌われる。合理的に聞こえる屁理屈、相手のリソースやリテラシーを考慮しない押しつけの正論、長期的な影響を考慮しない短絡的な主張、全体最適から割り戻して部分の価値を見ず、部分最適ばかり主張するからだ。

3次元：世界を五感で知覚して生きる

常識的な社会人の多くは、3次元にいる。つまり、空間を五感で認知している。物理学的にいえば、古典力学（ニュートン力学）の世界である。

ビジネスや社会の現場でいえば、自分がいる空間の上司である部長や課長の立場を考えたり、空気を読んだりする。そうすると、理屈や合理的でない空気や文脈を敏感に読み取り、適切な行動がとれるようになってくる。中堅ビジネスパーソンの意識次元である。意識偏差値50。ここは最低でも維持したい。

4次元：世界を規律的に生きる

3次元空間に時間軸を足したのが4次元である。物理学でいえば、アインシュタインが綜合した相対性理論レベルにあたる。つまり、光を定点として、時空間は同じ方程式の中で影響し合うということである。

4次元には、過去や未来の時間が加わっている。今の空間があり、少なくとも過去と未来を想定している。

組織でいうならば、マネジメント層はきちんと考えている。「過去こうだった」とか、あるいは「この取引先とは将来のことを考えて、ここは負けておこう」などの駆け引きができる。

4次元意識とは、いわゆる「因果応報」である。因果律（あらゆる出来事には必ず原因があり、その原因によって結果が生まれるという考え方）に則って「正しく生きる」という意識であり、空間と時間は同一の世界の中にあり、自分が今行ったことは将来自分に返ってくるという世界観である。

時に人は未来を悲観して足がすくんだり、過去の出来事に引きずられて自信が持てなくなったりする。つまり、時間も同時に知覚して世界を見ているときは4次元的に世界を見ていることになる。**「今」しか見ない3次元より、時間を含めた4次元で世界を見たほうが、一般的には賢い行動が取れる。**

イエール大学の調査では、**人生の成功を決めるのは、学歴でも財産でもなく「ものを見る時間軸に尽きる」と証明している。**長期的に考えるから人を信用した取引をするし、地球の未来を考えて行動に規律を与えるのが人間だ。意識偏差値60のマネジメント層のレベルである。ところが4次元意識のレベルでは、悩みは尽きないのが現実である。

5次元：世界を肯定して生きる

5次元意識とは、ある一つの世界線において表出する現象を是と捉える意識である。物理学的には量子力学的な次元である。世界は波と粒子でできている。そこでは「ゆらぎ」や「遊び」がある。だから因果律が通用しない。

多くの物理学者は（今のところ）世界が非常に小さな点（粒子）でありながら、波の性質をあわせ持っていると考えている。まったくピンとこないだろうが、それを自己の知覚という観点からいえば、「すべてがつながっているようでいて、それでいてぐにゃぐにゃ動いている」といった様子である。これが5次元的な認知である。この5次元こそアインシュタインが否定した次元であり、彼は「神はサイコロを振らない」と言って、この次元のゆらぎや曖昧さを否定した（この言い方は厳密ではない）。

5次元が4次元と異なるのは、因果律を必ず信じているわけではないということだ。先に述べたように、4次元意識の人は、「ここで負けておけば将来返ってくる」といった因果律をとても大事にしている。情けは人のためならず、因果応報だと。

しかし、5次元の量子論的な世界観では帳尻が合わないこともある。その世界はカオスである。したがって、起こったことを肯定して生きるのが正しい。「失敗だ」「何が原因だ」などと考えて、短期間で帳尻合わせしようとしない。

その世界観から見ると、「世界では起こることは起こるし、それは仕方ないから受け止めて前に行こうぜ」などと、ある種達観するようになる。

ノーベル賞受賞者の山中伸弥先生や女優の芦田愛菜さんの好きな言葉に「人間万事塞翁が馬」（不運に思えたことが幸運につながったり、その逆だったりすることのたとえ。幸運か不運かは容易に判断しがたい、という意味）があるが、これは、起こったことを受け入れる感覚を持っており、5次元的な意識の状態である。喜怒哀楽に短絡的に影響を受けない。実に道教的である。意識偏差値70である。

とくに組織のトップマネジメントがいつも楽観的で、起こった災難に対してある種冷静に「さもありなん」という意識状態で淡々と善後策を打ち出せるのは、経験則で、世界はどうも因果律＋αで動いていると直観しているからである。

6次元：世界線を選択して生きる

さて、5次元までは何となくわかるかもしれない。しかし、私がもっとも主張したいのが6次元的意識である。なぜなら、6次元的意識こそ「あらゆる悩みを解決する意識に関する究極の知識」であるからだ。

6次元意識とは、世界はあらゆるパターンで存在し（マルチバース）、自分がそれぞれの世界を主体的に選択して知覚することで現象が表出・認知される意識状態である。

もう少し具体的に説明しよう。

私たちの本体は世界の外にいて、意識が一つの「世界線」を選択している。実は、いろんな世界は同時並行に存在しており、我々の意識は世界を創造的に選択ができる。世界は単一ではなく、一瞬一瞬に膨大に生まれており、その中で自分が選択し、知覚・認知し、そこに五感が吸着することでその世界線を生きていると認識（錯覚）している、という状態だ。「自分が世界を選択している」という状況が、6次元的な発想、意識次元である。

たとえば1秒間に数百万から数千万の世界が膨大に生まれ、その中のいずれかを選択する。

「晴れてよかったね」ではなく、晴れた自分に意識が吸着しているから、晴れた自分の世界の中にいながら、実は別の世界線では雨が降ったり、曇りのときも同時に存在したりしている。

5次元意識とは、「一つ」の世界線の中に浮かぶ自分の意識を柔軟に動かして「受動的」に「肯定」する。一方で6次元では、「多数」の世界線の中から意識を柔軟に動かして「主体的」に世界を「選択」するという点で5次元とは異なる。

意識の柔軟な動きを用いてそちらの世界線に知覚をシフトさせることができれば、幸福を得られるというわけである。今はつらくても、他の世界線の私は幸福である、したがって私は幸福であると感じられたら正解である。

悩みの本質は執着である。執着の解決はそれが自分のものになるか、なっているかによってもたらされるため、自分の世界線の意識的選択によってあらゆる悩みは解消されるのである。世界線を自由に選択できるという気づきが悩みを解決する唯一の方法であり、そこまでくれば意識偏差値75である。

いかがだろうか？　壮大な屁理屈に聞こえるかもしれないが、これこそ古今東西のすべての宗教が求め続ける意識工学の教義であり、実際に、日々の意識についての鍛錬を続けなければ容易に到達できない点である。

7次元

7次元とは本当の意味でのマルチバース、つまりこの宇宙の外から我々の宇宙を観察する意識次元であり、お釈迦様や空海がいうところの悟りの意識領域である。そこでは生物・人間はおろか、距離や空間、数字もない。またこういった概念はもちろん、概念そのものも存在しない。存在・非存在ということさえ存在しない極致である。

次の物理学における発見は、少なくとも6次元での意識状態の知覚から発想されるはずである。6次元的意識から見れば、なぜ今の5次元的量子場の解釈が直観的に不完全に見えるのか？　なぜゆらぎや「重ね合わせ」があるのかがしっかり理解できる。それぞれの5次元世界線は、他の5次元世界線と我々の意識を通じてつながり、行き来しているからである。

「量子もつれ」という「観察」によって一方が確定するときにもう一方が確定する相互作用は、意識の次元間の往来というエネルギー転換によってある程度は説明可能である。**5次元における不確定原理は、5次元の世界線の外に出ることによってはじめて認知できるわけである。**

3つの世界・5つの人間性・7つの次元の関係

さて、最後にこれまでの内容をまとめよう。

最初に、世界は今、3つの層に分かれていると述べた。それはキャピタリズム、シェアリズム、ヴァーチャリズムの3つであった。そしてその3つの世界は5つの人間性（社会性・関係性・身体性・創造性・個性）と強く結びついた世界であると述べた。

さらに5つの人間性は、人の意識の7つの次元と関係している。人の意識は常に漂い、3つの世界を、そして5つの人間性のどれかに引きつけられている。

社会性は人間性の中でももっとも強く、私たちの意識は常にこれに引きつけられている。とくに日本では同調圧力が強く、本当に自分の生きたいように、つまり個性を花開かせて生きることはなかなか困難である。またお金が社会の中心軸にあり、人々はこのお金という数字の持つ強い吸着力に意識を奪われがちである。お金や数字は1次元に属するものである。

親しい友人や家族やパートナーとの関係性は社会性の隣に位置する。社会性が匿名・不特定多数への寄り添いというならば、関係性は特定個人との人間関係を意味する。**より良い関係性はウェルビーイング（幸せ）と強く結びついている。病気に影響を与えるのは、タバコや酒などの身体への直接的なものより、周りの人々とのよりよい関係のほうであるとわかっている。**

関係性と強い結びつきにあるのは2次元・3次元、つまりコミュニケーションや空間、そして衣食住をともにすることにある。シェアリズムにおいて、共生的関係や贈与経済などが良い意味を持つのは、貨幣を通じることなく価値を交換することで関係性がより強固になり、多幸感が増すからである。また一緒にいることそのものが価値となるピア経済の台頭も、3次元や、それに時間軸を足した4次元に属する考え方である。

身体性は、心身の健康（エネルギー）であるが、それが3次元のものであることはわかりやすいと思う。心身の健康は、自然や親しい人との関係によって維持・増進される。

そして、この関係性と身体性を回復させることを目的とした世界が地上20メートルまでのシェアリズムである。

ヴァーチャリズムは「仮想現実」と訳されるが、正しくはまだ形になっていない（3次元化していない）世界のこと、つまり4次元（イメージ・想像）の中に漂っている意識世界ともいえる。このヴァーチャリズムに属する人間性が、個性（天才性）と創造性の2つである。ヴァーチャリズムの目的は、創造性と個性の拡張である。

創造性とは、想像（イメージ）したものを創造する（形にする）ことであり、それは4次元（イメージ）を3次元（モノ・絵・文章などの五感で知覚できる形）にすることを意味する。

個性（天才性）とは、個々人が固有に持つ霊性（ゲニウス：genius＝ジーニアス）であり、もう少しいえば、個々人の特有の周波数や、素粒子レベルでの独自の〝ふるまい〟にあたる。

私たちすべての人は、個別の存在たる独自性をそのわずかな波動やふるまいにおいて有しているが、それを自分で認知できている人は少ない。

しかし、本来の個性の本質とはそういう微細な動きそのものであり、いわゆる才能や強みというのは、単に人々が認知できる言葉に書き換えたものに過ぎない。この個性が属するのは6次元や5次元の領域である。6次元は個別性を担保する意識の次元であり、5次元は創造のエ

図 4-3
3つの世界・5つの人間性・7つの次元の関係

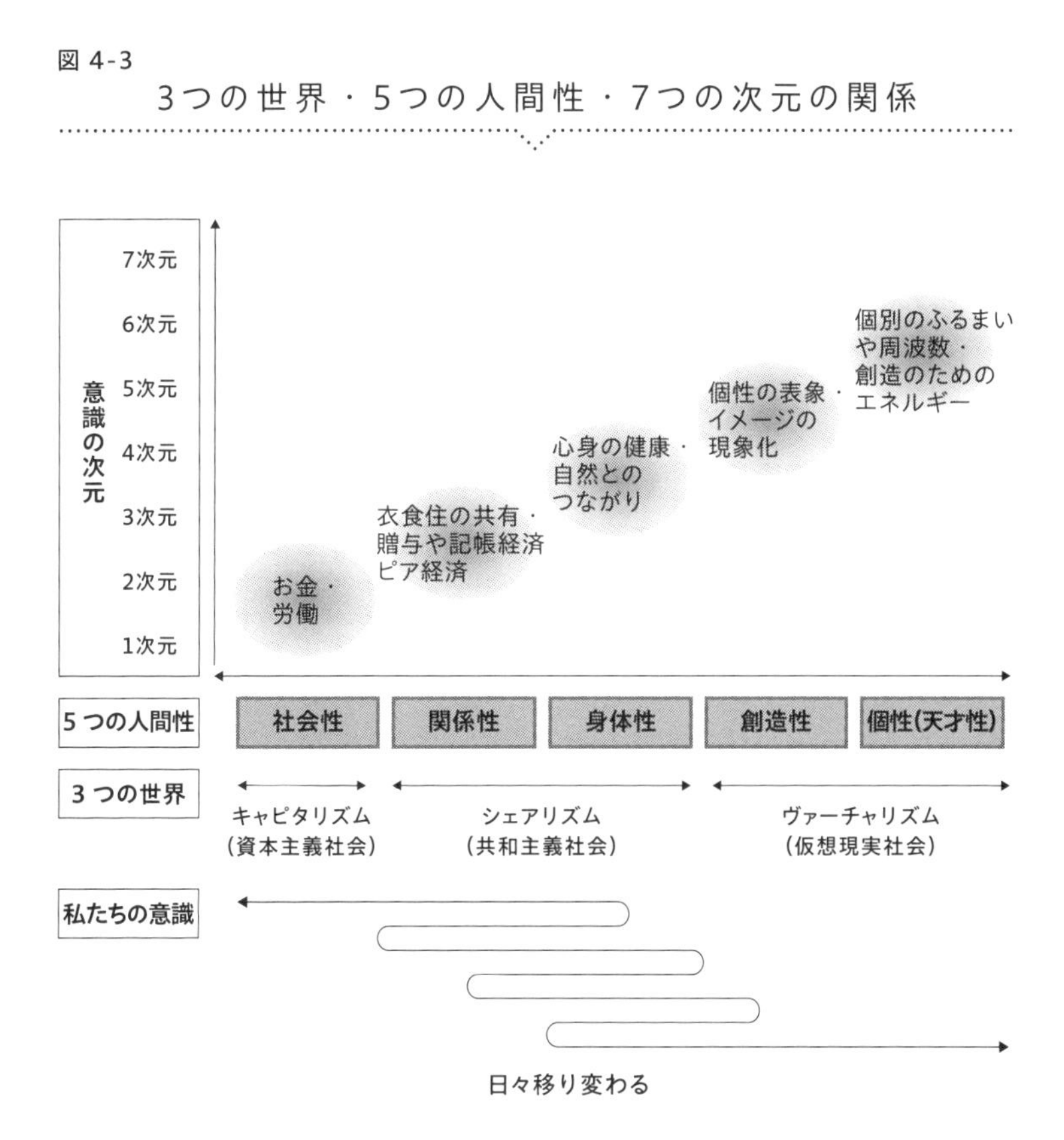

ネルギーが蓄積されている領域である。

個性と創造性の関係でいえば、6次元における人それぞれの独自のふるまいが5次元のエネルギー領域（量子場）に影響を与え、4次元で像（イメージ）を結ぶということになる。

このようにして意識の各次元と5つの人間性、そして3つの世界の目的は関係しているのである（前ページの図4－3）。

意識の知識についてはあらためて別書にて詳しく書こうと思う。なぜなら本書の目的は、生まれつつある3つの世界のそれぞれの層において、読者が具体的に生き抜くための処方箋であるからだ。

おわりに

君たちはどう生きるか？

世界中のあらゆる古代遺跡は墓か祭事場か天文台なのだが、数でいえば圧倒的に天文台（測候所）が多い。それは人間の本質を物語っている。我々現代人は星を見ない。手元の時計で十分だからだ。だから小中学校で習う星座の数に圧倒される。「なぜ古代の人は星にそこまで執着したのだろうか？」と。

理由は簡単だ。

200万年前の世界では、常に同じ動きをするものは星しかなかったからだ。川の流れも海の波も風も常に同じ動きはしない。まったく同じ動きをするのは星しかなかった。そこで人間は同じことをくり返す星の動きを正確に把握して「暦」を作り、「時間」を発明した。

そう、これが人間だけが持っている「概念」というものである。時間という概念を人間は発明し、そこから人は集団行動を可能にし、貨幣単位や数学を発展させていった。

人間の概念世界の最初は、天文学である。そして今私たちは忘れている。カエルには時間という概念がなく、自然には概念というものがそもそも存在しないことを。

しかし、人間は概念に人生をからめ捕られている。たとえばお金という概念に、倫理に、そして時間に。これらは人工物であって、真理や本質ではない。

私たちはあまりにも世界をたくさんのラベルに当てはめて評価してきた。時間もお金も倫理も顔もわかりやすい指標だが、それはある次元から見ればフェイクであり、即座に消えてしまう幻である。次元を変えると、世界の見え方はまるで異なってくるのだ。

これからの時代は、できるだけ人が作ったものから離れて過ごすといいと思う。それは人間存在以前にすでにあったものに触れるということ。つまり自然である。

真理は常に人間の先にある。

時代が進めば、自分の外側に広がる世界は否応なく変化していく。これからもそれは変わらない。だからそのことについては忘れよう。

大事なのは、世界がどうできているのかということは絶対的なものではなく、個々人の知覚と認知で決まるものだということである。

世界は知覚と認知が決めている。**自然に浸り、人工美を見つめ、知覚の解像度を上げよ。あらゆる知識を愛し、視野を広げて世界の捉え方を変えよ。知覚の解像度と視野の広さは認知を深める。その認知は私たちを本質へと誘う。やがて記憶と五感に閉ざされた曖昧な自分という殻は溶け去り、純粋に世界を認知する私たちの本性があらわれる。**

世界はすべての人にとって同じではなく、まったく違ったものとして存在している。

一般的な人は五感、とくに見えるものを基軸に世界を認知している。だから世界は立体的で3次元である。時に人は未来を悲観して足がすくんだり、過去の出来事に引きずられて自分に自信が持てなくなったりする。つまり、時間も同時に知覚して世界を見ているときは4次元的に世界を見ていることになる。「今」しか見ない3次元より、時間を含めた4次元で世界を見たほうが、賢い行動が取れる。そしてできるならば4次元よりも5次元・6次元までも知覚して生きよ。それが、3つの世界を縦横無尽に闊歩する生き方である。

君が「何かを実現したい、何かを得たい」と思っている野心的な若者ならば、自分の知覚を研ぎ澄ます必要がある。私たちは皆「知覚する主体」である。つまり目には見えないもの、イメージや概念、未来や過去、会ったことのない人、見たことのない風景を含めて明晰に知覚できるようになったとき、想像物は物性を帯びて創造される。つまらないもの、たとえば預金通帳の額でさえ現実（という名の幻想であるが）に刻印される日が来るだろう。

だが、そのようなこと自体、どうでもいいことだ。難しくいえば、単に知覚と認知がやがて時を経て（エントロピーの結果）、物性を持つに至っただけである。ノーベル賞を取ることも、オリンピックで金メダルを取ることでさえもそうだ。むしろ世界を捉える知覚と認知の成熟化によって私たちそのものを変容させるプロセスにこそ意味がある。知覚のレベルを上げるとは、「私」という本質により近づく過程なのである。君が本当に得たいものは、お金でも恋人でもプライベートジェットでもない。君というものの正体である。

そのためのあらゆる努力と失敗、右往左往と試行錯誤の結果、君の知覚と認知の次元は今に至るまで上がってきた。君も私も頑張ってあがいてきたはずだ。それが人生である。

人生とは、本来の自分を暴き出すためにジタバタと動き回り、現実世界にあるガラクタに囲まれて生活することに他ならない。だが同時に、**人生の本質はそのガラクタの創造プロセスにあり、創造の反作用として向かう、自分とは何かを知る長い旅路のことである。**

君たちがこの大きく波打つ激動の時代を楽しく乗りこなすことを願ってやまない。

山口揚平（やまぐち・ようへい）

思想家・投資家

1999年より大手外資系コンサルティング会社でM&Aに従事し、カネボウやダイエーなどの企業再生に携わったあと、独立・起業。企業の実態を可視化するサイト「Valuation Matrix」を運営し、証券会社や個人投資家に情報を提供する。2010年に同事業を売却したが、のちに再興。クリスピー・クリーム・ドーナツの日本参入、ECプラットフォームの立ち上げ（のちにDeNA社が買収）、宇宙開発（ispace社: 東証グロース上場）・ロボティクス・ブロックチェーン・AI・リトリートホテル（江之浦リトリート 凛門）・アニメスタジオ（ゴールデンカムイ等を制作）・アート・芸能・劇団などへ事業創造投資を行うブルー・マーリン・パートナーズ株式会社代表取締役。事業創造先の総時価総額は約2000億円に達する。
その他、劇団、海外ビジネス研修プログラム事業等、複数の事業、会社を運営するかたわら、執筆、講演活動を行っている。専門は貨幣論、情報化社会論。NHK「ニッポンのジレンマ」の論客として出演。テレビ東京「オープニングベル」、TBS「6時のニュース」、フジテレビ「Live News α」、日経CNBC放送、財政再建に関する特命委員会 2020年以降の経済財政構想小委員会に出演。慶應義塾高校、横浜市立大学、福井県立大学などで講師をつとめた。

著書に、『なぜか日本人が知らなかった新しい株の本』（ランダムハウス講談社）、『デューデリジェンスのプロが教える 企業分析力養成講座』（日本実業出版社）、『世界を変える会社の創り方』（ブルー・マーリン・パートナーズ）、『そろそろ会社辞めようかなと思っている人に、一人でも食べていける知識をシェアしようじゃないか』（メディアワークス文庫）、『なぜゴッホは貧乏で、ピカソは金持ちだったのか?』（ダイヤモンド社）、『10年後世界が壊れても、君が生き残るために今、身につけるべきこと』『ジーニアスファインダー 自分だけの才能の見つけ方』（ともにSBクリエイティブ）、『1日3時間だけ働いておだやかに暮らすための思考法』（プレジデント社）などがある。

早稲田大学政治経済学部（小野梓奨学生）・東京大学大学院修士（社会情報学修士）。
好きな食べ物はコーン。

■ブルー・マーリン・パートナーズ 公式サイト
https://www.bluemarl.in/

・本書に登場する参考図書
『自動車の社会的費用』宇沢弘文著、岩波新書
『実力も運のうち 能力主義は正義か？』マイケル・サンデル著、鬼澤忍訳、早川書房
『シンギュラリティは近い　人類が生命を超越するとき　エッセンス版』レイ・カーツワイル著、ＮＨＫ出版
『繁栄　明日を切り拓くための人類10万年史』（上）（下）マット・リドレー著、大田直子・鍛原多惠子・柴田裕之訳　早川書房
『サピエンス全史　文明の構造と人類の幸福　上下合本版』ユヴァル・ノア・ハラリ著、柴田裕之訳、河出書房新社
『ブルシット・ジョブ　クソどうでもいい仕事の理論』デヴィッド・グレーバー著、酒井隆史・芳賀達彦・森田和樹訳、岩波書店

3つの世界

キャピタリズム・ヴァーチャリズム・シェアリズムで賢く生き抜くための生存戦略

2024年3月3日 第1刷発行

著　者　山口揚平
発行者　鈴木勝彦
発行所　株式会社プレジデント社
〒102-8641
東京都千代田区平河町2-16-1 平河町森タワー13F
https://www.president.co.jp/
https://presidentstore.jp/
電話　編集 (03)3237-3732　販売 (03)3237-3731

装　丁　小口翔平＋畑中茜(tobufune)
本文デザイン　mika
構　成　長谷川リョー(モメンタム・ホース)
編　集　大島永理乃　渡邉崇
校　正　聚珍社
図　表　大西芽衣(ブルー・マーリン・パートナーズ)
協　力　松田宇弘　桑昌弘　清水星花　石井龍之介　安藤駿　田辺翔子　須貝立暉(ブルー・マーリン・パートナーズ)
DTP　キャップス
販　売　桂木栄一　高橋徹　川井田美景　森田巌　末吉秀樹
制　作　関結香
印刷・製本　中央精版印刷株式会社

 ISBN978-4-8334-2529-2
Printed in Japan
落丁・乱丁本はおとりかえいたします。